カモちゃんの今日も煮え煮え

JN285392

この本は鴨っちの大親友の土肥さんとゆう人が作りました。
土肥さんは成績優秀な高校三年生の時、実家がとーさん。
進学をあきらめ上京。たよった兄が春先 分裂。
それを知った お母さんが うつ。
心に傷のある嫁をもらい
たんねんに治してあげ
治ったら捨てられて、
そこから念の入った
鴨に負けない酒乱に
なりました。
現在 北海道で出版社を
やっています。
今にも 今にも つぶれそうです。
このあいだ お母さんがガンでなくなって彼は最後までめんどうみました。
家に帰ると ひきこもったお父さんとお兄さんの世話をする毎日です。
負けるな土肥さん。今日も酒乱だ。
先週 博報堂北海道支局長を酔って道路に バックドロップ
した事なんか忘れちゃえ。

乗ったなりタクシーの運転者さんが客にことわりもなく
ウィーン
窓をあける。
そう土肥っちは私の生涯三本の指に入る大ワキが
目がさあ目がつんつんするんだよねえもう
発酵臭なんだよワキにさあゆでた大豆いれときゃ一時間で納豆になるんじゃねえっ 青いキウイ一発で熟れるよ
オレは負けないよっ
ついたあだ名が（私がつけた。）
北海大亀虫
いやーそんな
てれるべさあ

今回鴨は北海道にてカンヅメ。そこに私が遊びにやって来て
ここかぁ〜ロスケのたまり場そクラブは〜
カニ売ってんのかカニー
さけぼうとして思いっきりフレッシュワキガ吸いこみました涙とまりません。
ゲほ
げほ
カニ屋の大将と私らで夜のススキノ煮え紀行。
そこは北海道の十ウなヤングのクラーブで
いらっしゃいませ
奥にロシア人はいるにはいるが若くてキレーな男の子でちびちびビールを飲んで座っている。
ただの売り専かロシア人じゃねえか
オレの好きなロシア人じゃないー
(出かせぎ)→
おまぬけロシアンマニア
マフィア
ハーイ
おいお前らっロシア人のクセにビールをちびちびってゆうのはどうゆう事だっ

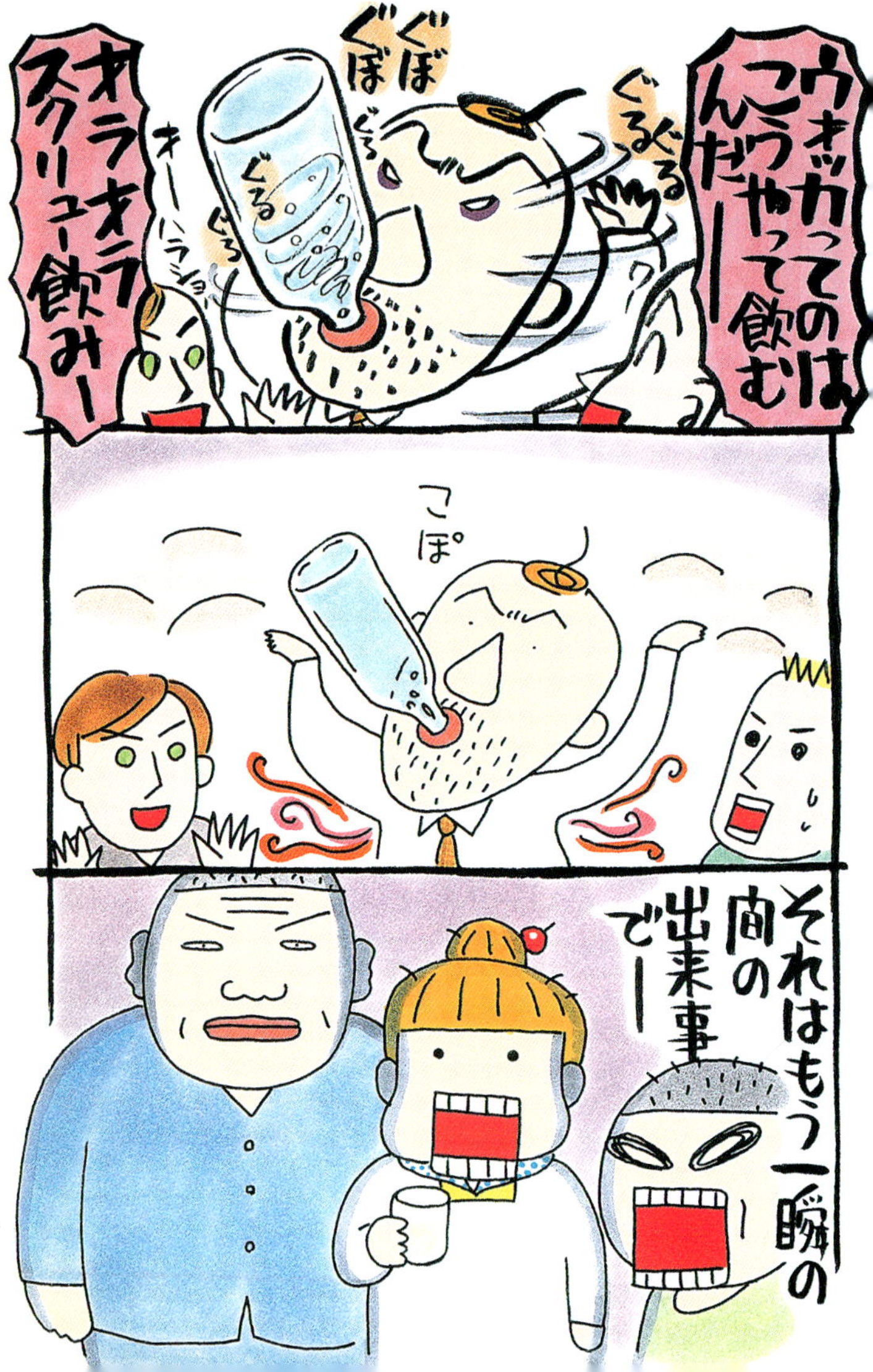
ウォッカってのはこうやって飲むんだー
ぐぼぐぼ
ぐるぐる
オラオラスクリュー飲みー
こぽ
それはもう一瞬の間の出来事でー

フロアのまん中でみずからが
スクリューとなっているところを
助けに行こうとする鴨
こっぱあ
どっしぃん
土肥いいいしっかり
しろおお土肥いい
何だゲロかあっ
よしオレが便所
つれてって
やるからなあっ
びっくん
びっくん
でろでろでろ

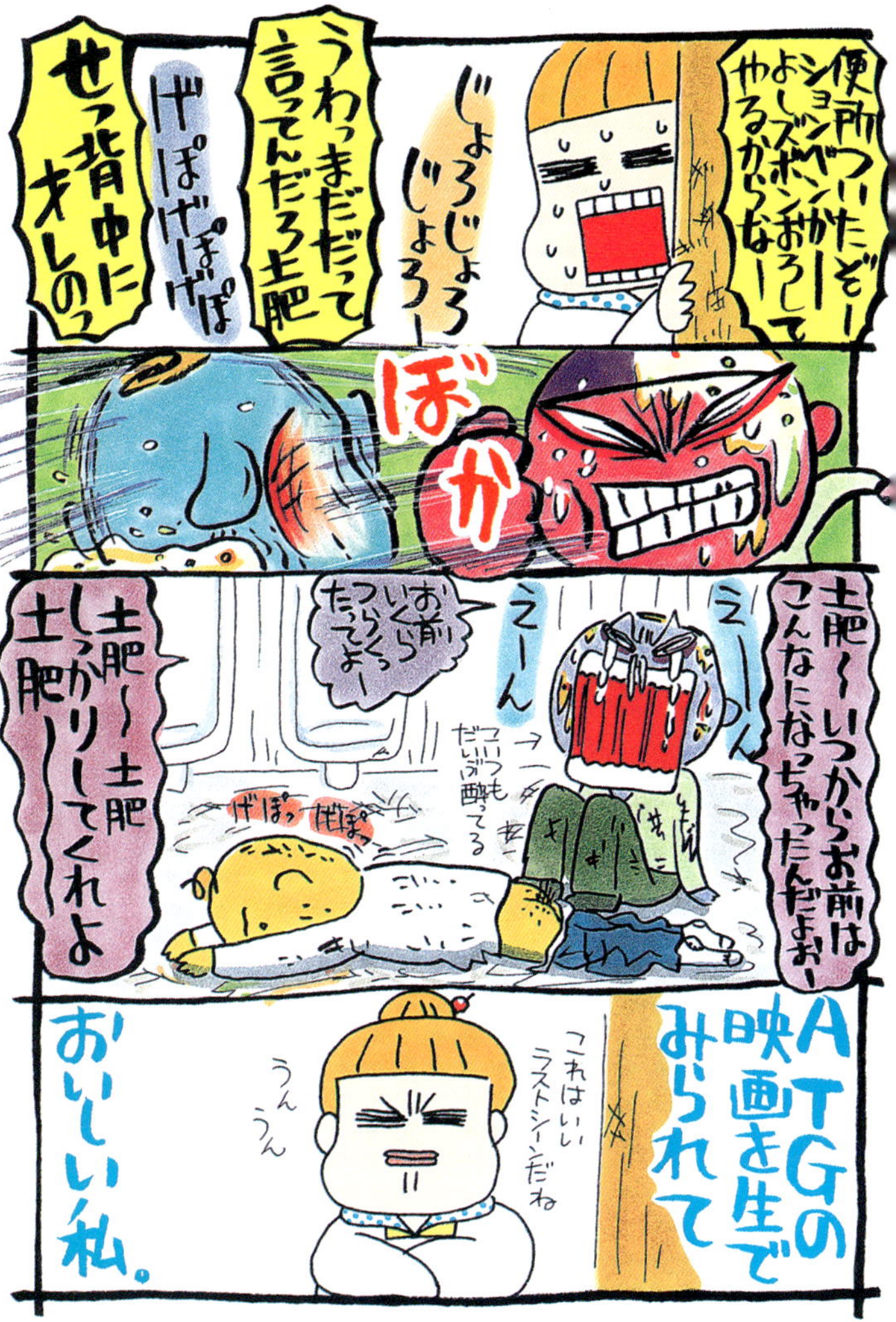

便所ついたぞー
ションベンかー
よしズボンおろしてやるからなー
じょろじょろじょろろー
うわっまだだって言ってんだろ土肥
げぽげぽげぽぽ
せっ背中にオレのっ
ぼか
土肥〜いつからお前はこんなになっちゃったんだよお〜
えーん
えーん
お前いくらつらくったってよー
こいつもだいぶ酔ってる
げぽっ げぽっ
土肥〜土肥
しっかりしてくれよ
土肥〜
ATGの映画を生でみられて
これはいいラストシーンだね
うんうん
おいしい私。

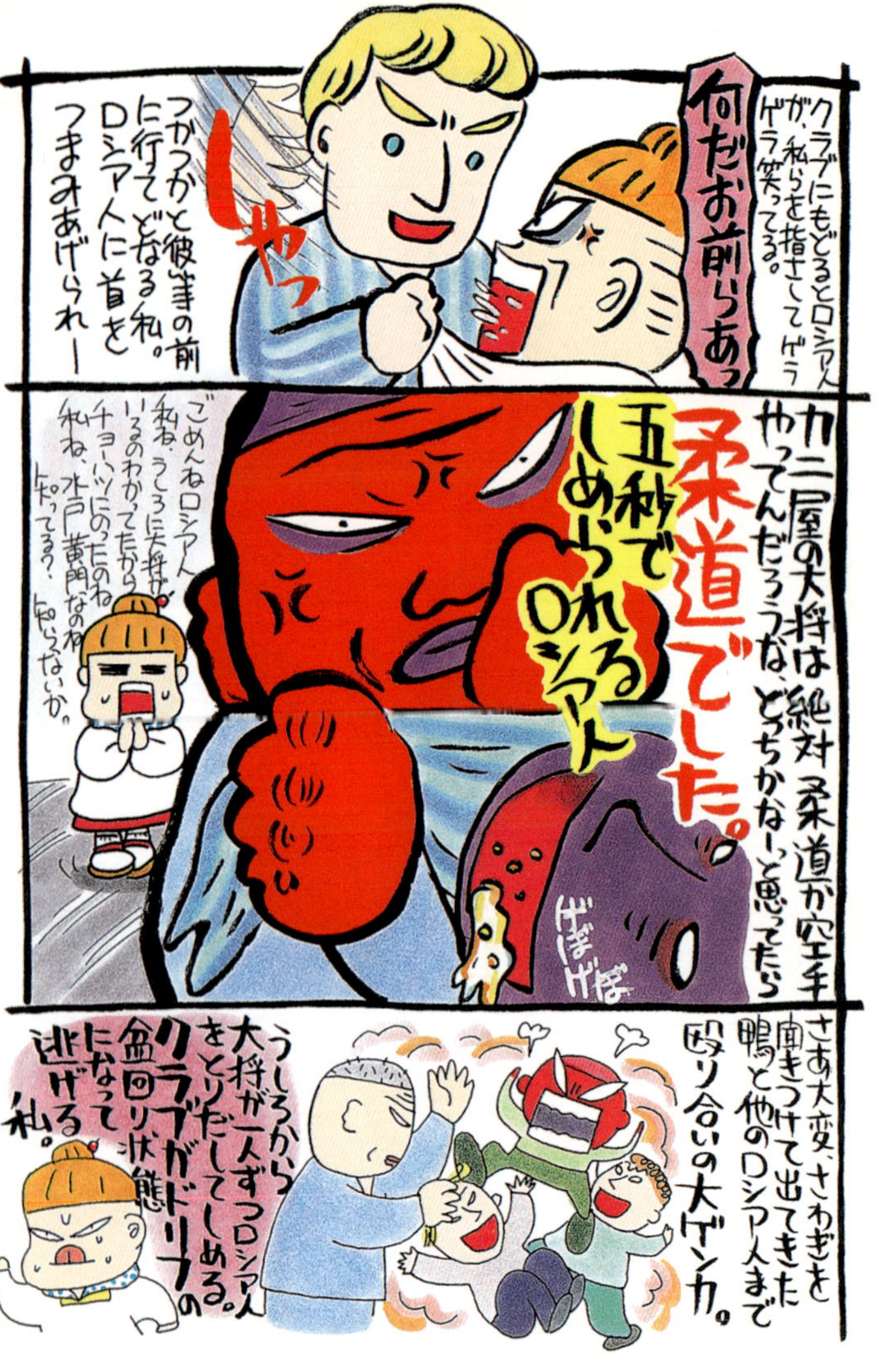
クラブにもどるとロシア人が、私らを指さしてゲラゲラ笑ってる。
何だお前らあっ
しゃっ
つかつかと彼等の前に行てどなる私。ロシア人に首をつまみあげられー
カニ屋の大将は絶対柔道か空手やってんだろうな、どっちかなーと思ってたら
柔道でした。
五秒でしめられるロシア人
ごめんねロシア人 私ね、うしろに大将がいるのわかってたから チョーシにのったのね 私ね、水戸黄門なのね 知ってる? 知らないか。
げぼげぼ
さあ大変、さわぎを聞きつけて出てきた鴨と他のロシア人まで殴り合いの大ゲンカ。
うしろから大将が一人ずつロシア人をとりだしてしめる。
クラブがドリフの盆回り状態になって逃げる私。

あんたら迷惑だから帰って下さい
20歳そこそこの店員に
はーい すいませーん
出禁くらう38歳3人と52歳1人。
土肥ー帰るぞー どこだー
どこかでまた何か
土肥、介抱してくれた心優しきロシア青年をおしたおし
ぶっちゅー
べろべろべろ
ディープキス中
北海道の人は本当に助け合う。このあとまたぶったおれた土肥っちをクラブでの不良のかっこした若者みんながかかえてはこんでくれる。
北海道に生かされている土肥っち。
ワキとコカン係の若者がさけび声き
ぐげっ
うおお
あん時はありがとね
東京なら乗車拒否あたり前なのにタクシーから運転者さんかけおりてきてくれて「汚れてもいいよ困ってんだエンリョしないで」
車にのせてくれました。でもことわりなく窓をあける運転者さん
すいませーん
気にしないでー

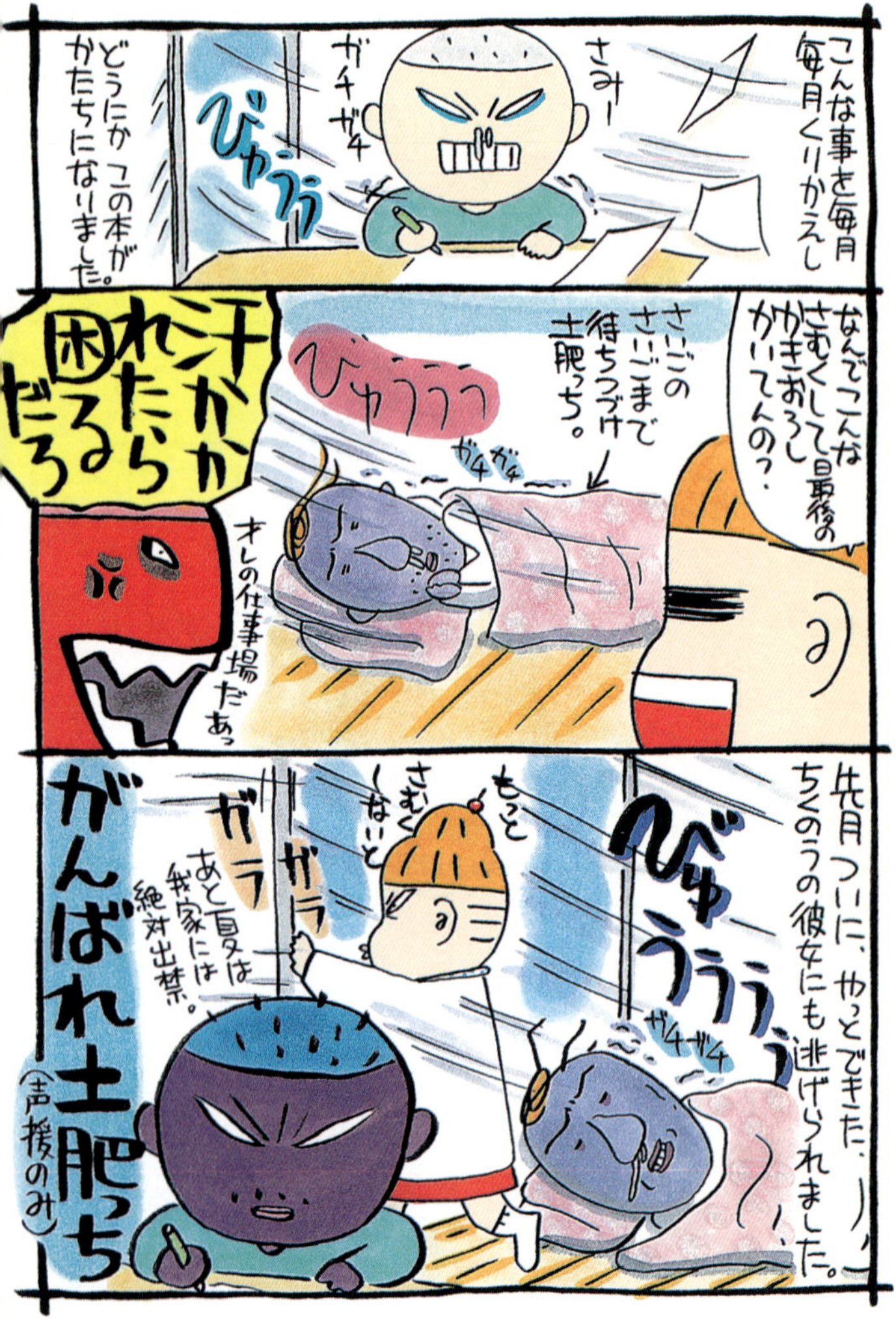
こんな事を毎月くりかえし
さみー
ガチガチ
ぴゅううう
どうにかこの本がかたちになりました。
なんでこんなさむくして最後のかきおろしかいてんのっ。
さいごのさいごまで待ちつづけ土肥っち。
ぴゅううう
ガチガチ
オレの仕事場だあっ
汗かかれたら困るだろ
先月ついに、やっとできた、ちくのうの彼女にも逃げられました。
ぴゅううう
ガチガチ
もっとさむくしないと
ガラ
ガラ
あと夏は我家には絶対出禁。
がんばれ土肥っち
（声援のみ）

講談社文庫

カモちゃんの今日も煮え煮え

鴨志田 穣｜西原理恵子

講談社

カモちゃんの今日も煮え煮え・目次

第1話
煮え煮えの品川、カンボジア、スリランカ

ＪＲ品川駅構内二階には、小さなデパートなみの食堂街がある。

忙しく歩いて行く人達の中をふらふらと歩いていると、定番とも言える立ち喰いそば屋のカツオだしのいい香りが鼻腔をくすぐり、その匂いを少しでも嗅いでしまうとたとえ満腹だとしても、

「まだ食えるかも」

とつい勘違いしてしまう。カレー屋さんの香辛料にも誘惑されそうになったりする。

喫茶店からはコーヒーの落ち着いた香りが流れて来て、ベーカリーのホットドックやピザから漂って来る、チーズやらマヨネーズの安っぽい味を思い出させる脂の匂いに顔をそむけたりする。

電車を乗り換えるわずかな時間に、手早く食事を摂れる場所であった。

東南アジアの果ての地から数年ぶりに帰国し、東京のテンションの高さに嫌気がさ

し、日本の記憶を失ないキップを買う事すらおぼつかなくなってしまったこの身には、この駅の食堂街は、懐かしさを感じながらも、少しばかり異様な物に見えてならなかった。

僕の見て来た国の人々はいくら貧しく粗末な食事であろうとも、ゆっくりと家族、仲間達と笑いながら食卓をかこんでいた。

皿に大盛りの白米と、おかずはインスタントラーメンに玉子焼、それと生のままのトウガラシを醬油につけて、などという風景はどこでも見かける事が出来たが、皆つつましい幸せに輝いていた。

思い起せる唯一の例外と言えば、タイ・ミャンマー国境のジャングルの中で出会ったカレン人難民達で、砂利まじりのボソボソの白米と魚醬、それに化学調味料だけの食事風景は無残であった。

誰一人として瞳に力はなく、無口で、弱りきっていた。

大半の者がマラリヤにかかり、いつ襲って来るか判らない強烈な高熱と寒気におびえている。

ただ、それでも、カレン人達はやみくもにがっついていた。

固形物のおかずなど、何一つ見当たらないのに、皆勢いよくメシを食らっていた。

生き抜く強さを垣間見る事が出来た。

時刻表に自分を合わせながら食事をする駅構内の人々は、喜怒哀楽を表す時間すら持てぬのか。

結局、無口になってゆく。

時間は五時を回っていた。

一軒の小さな居酒屋を見つけた。

店ののれんのすぐ横に長方形に切った厚紙があり、

タイムサービスセット。ビール大ビン＋熱燗一本＋つまみ。

七百六十円。四時から六時まで。


と書かれていた。

のれんをくぐると中年の男女が、

「いらっしゃいませーい」

とやる気の全く感じられない声で出迎えてくれた。

小さな店内を見渡すと、どこにでもある、誰でも作れる安価な品書きがそこら中に貼られてあり、客のタバコやほこりなどで全て茶色くあぶら焼けしていた。

おばさんがのそりとやって来て、注文は、という顔をする。

一言も喋らない。

「セットをください」

そう伝えると、手にした伝票にゆっくり〝セット一〟と書きこみ、何も言わずに立ち去った。

奥の板場のおじさんに小さく、たった一言、

「はい新規さんセット、いちね」

とつぶやいた。

うす暗い店内にはしきりに腕時計を気にしながら熱燗をすする中年のサラリーマン風三人がいた。

話し声が自然と聞こえて来てしまう。

どうやら会社の同僚であるようだ。

早い時間からここで飲んでいるようで、小さなテーブルには何本もの徳利がころがっていた。

三人がおのおの、好き勝手を言っては、ぶつぶつと、とりとめのない言い合いをしている。

決して耳にしたくないような上司の悪口ばかりを延々と話し続けては、言葉が止む前に、三人のうち誰かが、

「へっ、くだらねェ」

とそっぽを向いてはきすてるようにつぶやく。

するとそれを聞きつけた同僚が、

「何言ってんだよ。俺の言っている事は正しいんだって、だいたいなぁ、お前の……」

終わりのない、一向に前に進んで行きそうにもない会話をし続けながらも、帰宅の時間を気にしているのだろうか。三人が三人共、腕時計をちらちらと、落ち着きなく、何度も見ていた。

何時間満員電車に押しこめられて、通勤しているのだろう。

そうやって早朝会社へやって来て、一日仕事をして、帰宅するのに、また同じ行為をしなくてはいけない。

こんな駅の中にある居酒屋で、酒を飲《や》っても楽しくなどなれっこない。

皆そんな事は知っていて、でも飲らずにはいられないのだった。

嫌なのだ。満員電車に乗るなど、嫌で嫌でしょうがないのだった。

日々くり返され、蓄積され、はき出す間すらなくあばれ出すストレスを、どうにか静める作業だけが唯一出来る事であった。

そんな人のための居酒屋である。

酒はとにかく安い、甘いべったりとした二級酒で、その日のつまみはまぐろの山かけ、である。

冷凍マグロは解凍された時に水分と一緒にうま味も抜け落ち、くったりと張りがなく白っちゃけている。

「どうでもしやがれ！」

そう叫んでいるような、やぶれかぶれの色と味がする。

便所は店内にはないらしく、構内の公衆トイレまで歩いて行かなければならない。

三人中年サラリーマンのうち、つまようじをずっとシーシー鳴らしていた険のある目つきをした痩せこけたおっさんが立ち上り、

「べんじょ」

と一言同僚につぶやき、ふらふらした足どりで店を出て行った。

久しぶりに体感した日本の秋の涼しさのせいか、小便が近い。

おっさんの後を追いトイレへ入ってみる。

おっさんは思いきり音を立てて扉を閉め、大の中へ入って行く。

タイル張りの清潔なトイレの中でベルトをカチャカチャと鳴らし、ズボンを下ろす服のすれ合う音が、トイレ内で小便をしながらも、手に取るように判りやすく、響いていた。

ふと、おっさんの動きがピタリと止まったのが判る。

何の音もしなくなった。

すると突然、

「グウェー、グエッ、グエッ」

大量にもどしているのが聞こえて来る。

何度も何度も、もどし続けていた。

「ハアー、ハアーッ」

肩で息しているのが耳に入って来た。

トイレットペーパーを出す、「スルスル」という音が響き、

「ペッ」

と一度つばをはき出すと、ズボンを脱ぐのを再開し始めた。

しっかりとしゃがんだのだろう、一瞬何も聞こえなくなると、またまたいきなり、

「ブッ、ブブッ、ズッピーッ」

激しい下痢の音がし出した。

ズボンを下ろし、大をひり出すつもりが、先にゲロをもどしてしまい、その後にやって来た便意に腰を下ろしたのだった。

「うおーい、ちきしょーめ」

うめき声を上げながらおっさんは「カラカラ」と音を立ててトイレットペーパーを引っ張り出している。

駅構内の便所へは、男どもが引っきりなしに入って来ては、せわしなく、用を足し

て急ぎ足で出てゆく。

便器からはきついアンモニア臭と、ドリンク剤か何かの薬であろう、ケミカル臭が立ち上って来る。

小便の匂いを嗅いでいると、男達の悲鳴が聞こえて来るようであった。

便器に向かい、立ちつくしていると、後ろのドアが勢いよく、大きな音を立てて開いた。

居酒屋のおっさんがチャックを締めるのも忘れ、よろよろと出て来る。

僕を一瞥すると、「フン」と鼻を鳴らし便所から出て行った。

ためしにおっさんがつい先程まで入っていた大の扉をそっと開けてみる。

ゲロは便器中にかかりっぱなしになって、アルコールと胃液のまざり合った目にしみる匂いを立てていた。

下痢は、しゃがむ場所を間違えたのだろう。

便器からは大きくはずれ、ずっと後ろにぶちまけられたままで、その上にはトイレットペーパーが覆ってあった。

薬臭い小便も、ゲロと下痢の同時進行も、おやじ達が人前で見せる事のない、号泣のようであった。
店にもどり、熱燗を注文した。
アジアの国々でも、色々なウンコを見て来た。
草原にひっそりととぐろをまく立派なもの。
大都会の早朝の道端にころがっているもの。
ネパールの山奥で凍りついて便器の底で小山を作っているもの。
各国でさまざまな場所にある色や型、匂いに出会って来た。
僕自身も色々な所でしゃがんで来た。
海、川、森、野っ原。
水の出ない便器の中に、何人もの名残りがあるままの恐ろしい穴にまたがったり。
安売春宿の使用済のコンドームがいくつも捨てられた風呂場のすみ……。

思い出せばきりがない。

戦場へおもむく事が少なからずあったので、大小、特に大の方はある程度は自分の思うがままに制御する事の出来る体質になっていた。

ある日、カンボジアでの出来事であった。

最前線の兵士達とゆっくりと田舎道を前進している時である。

昨晩食べたブタ肉が、「あれ、臭いな」と思っていたら、やはりよくなかったのか、腹があばれ出した。

最前線と言っても至近距離で双方がサブマシンガンを弾ち合っている訳でもなく、後方支援の迫撃砲が時おり何の前ぶれもなくまるであさっての方向に落ちて来るという、何とも間の抜けた前線であった。

それにしても腹が痛むのは何とも情けなかった。

たかが古くなったブタ肉ごときでこんな事になるとは、自分のプライドが許さない。脂汗をたらしながらもしばらくはじっと我慢していた。

周囲は見渡すかぎりの田園地帯。田んぼの緑にかくれて用を足す事はためらってしまう。

ゲリラ側は敗走している。

地雷が静かに置かれているかも知れない。

歩くのもままならなくなった時、数台の戦車が轟音を立ててやって来た。

歩兵達と一緒に戦車に乗せてもらう事にした。車上で休めば腹の調子も少しはよくなるだろうと思ったが……。

大きな間違いだった。

戦車のエンジンが出す小きざみで、しかし大きな揺れは、ただの拷問であった。

でこぼこの赤土の道を土ぼこりを立てながら戦車は走り続ける。

気温が四十度を越える中、重たい銃器をかかえたまま長い道のりを歩かなくてすんだ戦車の上の歩兵は、熱風にさらされつつも、おだやかで、まるでピクニックにでも出かけるような顔つきであった。

途中、荷台にあふれ出しそうな兵士を積んだトラックが戦車を追い抜いて行く。

兵士達は歓声を上げた。

それどころではないのは僕だけであった。

一時間ほど走った頃である。

遠くかすかに、トラックの荷台に積まれたロケット砲が前方の空めがけ発射の準備をしているのが見えた。

戦車はロケット砲のすぐ後ろまでやって来て、スロットルを全開にしたのか轟音を一度立て停まった。

やれやれといった顔をしながら兵士は戦車の上から地面へと飛び下りて行く。

尻の穴に一度根性をたたきこみ、僕もジャンプした。

地面に足が着いた途端、

「ギューオーッ」

と大きく下腹が鳴る。

目まいがした。

よろよろと千鳥足で道端にある火焔樹によりかかり、もれ出ぬように、そろりと腰を下ろした。

百人ほどの兵士が集まり、対峙するゲリラ達がいると思われるはるか前方の森をのんびりと見つめていた。

斥候《せっこう》からの指示だろうか、部隊長らしき男が地図をにらみながら、トランシーバー片手に大声で交信していた。

「グゴゴゴッ」

大きなエンジン音を立てながら、トラックの荷台にあるロケット砲が照準を合わせるために斜め四十五度に空を向く。

小がらで身軽な兵士がヒョロリとロケットに近より、グルグルと鉄のハンドルを手作業で回し、どうやら準備は整ったようだ。

「遠ざかれ！」

と言っているのか部隊長が皆に伝えると、兵士は五十メートルほど、ロケット砲の後へ下がり、しゃがみこんでタバコをふかし始めた。

しばらくすると、何の号令もなく、ぬれタオルで背中をたたくような音を立て、大空めがけて立て続けに二発ロケットは飛んで行った。

遠くジャングルの奥からモヤモヤと茶色い煙が上るのが見えた。

双眼鏡をのぞきこみ、部隊長はトランシーバーでやりとりをしていた。

全ての兵士が前方に注意を向けていた。

道のすぐ横は田んぼが広がっていた。

あぜ道が一本あり、その先に高床式の民家が一軒、ぽつりとある。

そっと僕は民家の軒下まで歩いて行った。

住人は戦いがすぐ側で始まっているというのに、昼寝しているのか、開いたままの扉から親子三人の足の裏が並んで見えた。

軒下のすぐ横には小さな池があり、アヒルが十数羽、ガーガーと鳴きながら水面を泳いでいた。

しゃがめば稲穂の高さで兵士からは見えずにすむ。

願ってもない野ぐそポイントであった。

そっとカメラを柱のかげに置き、ズボンを下ろす。

待ちわびた喜びの瞬間であった。

ものすごい音が出た。

それに驚いたのか、アヒルが「ガーガー」と大きな声で騒ぎ出す。

「たのむ、し、静かにしてよ」

目で訴えるが鳥には判ってもらえない。

いつまでも、

「おい、なんだこの男と今の音は」

といった目つきでアヒル達は僕を見て、うるさく逃げようとする。

騒ぎはさらに大きくなった。

その時であった。

「ドムッ」

と大きな音がしたかと思うと地面が一瞬波打った。

敵の砲が近くの水田に落ちたのだった。

頭上の床を、住人がふみ歩く音が聞こえて来た。

おばちゃんが木製の階段を降りて来た。

弾が落ちた方向を手をかざしながら見つめていた。

「静かに、動かないように。お願い！　僕に気づかないで！」

心の中で叫んだ。

安心したのか、おばちゃんは階段を上り、昼寝の続きをしようと、一段目に足をかけたその時、「ハッ」と目を見開いて僕の存在に気づいた。

しばらく状況がのみこめないようであった。

口を開け固まったまま、僕を見つめるおばちゃん。

僕は、しゃがんだまま、尻を丸出しにし、ゲル状のものをまき散らしていた。

った。

「やあ、どうも。勝手に使わせてもらってます」

とりあえず日本語で話しかけた。

引きつる顔に無理やり笑顔を作り、片手を上げあいさつをし、ごく自然に紳士を装った。

「……！」

おばちゃんは大きな笑い声を上げつつ階段をかけ上り、寝ていた家族に大声で何かをうったえていた。

バタバタと何人もが走る音が床をつたって聞こえて来た。

「トントン」

軽い足音が階段から聞こえて来ると、二人の小さな子供が僕をのぞきこみ、コロコロと可愛らしく笑い始めた。

身をよじり、はずかしそうに、いつまでも親子は笑っていた。

「はは、これはどうも、まずいところを見られましたな」

開き直った僕はアヒルの泳ぐ池の水で尻を流し、ズボンを引き上げた。

はにかみながらカメラをかつぎ上げ、兵士のいる方へ行こうとすると、おばちゃんと目が合った。

「オックン、チュラン（ありがとう）」

と告げるとケタケタと笑いながら小さな畑へと走って行き、サトウキビをもぎ取ってもどって来た。

おかしくてしょうがないのか、笑いすぎでふるえる手で僕にサトウキビを差し出した。

「持って行け」

と言っているのである。

勝手に軒下にしのびこみ、野ぐそまでした異国の訳の判らぬ野郎に、おみやげに甘味までくれようというのである。

一生忘れられない甘い思い出である。

インドのマドラスへ取材に出かけた時の事であった。

一番安い航空チケットで行こうと、購入したものはスリランカ経由のものであった。

それもバンコクからスリランカの首都コロンボまではエアランカ航空、そこでインディア航空に乗り換えるという変則的な便であった。

スリランカでの乗り換え便の待ち時間は五時間もあり、うっとうしいなあと感じながらもバンコクのドンムアン空港で飛行機に乗りこむと、どうしたものかいつまでたっても飛び立とうとしない。

まあ、よくある事さと気長に考えていると、一時間たっても動き出す気配すらないのだった。

二時間過ぎた。

妙にヒャラヒャラした機内に流れていたBGMも鳴る事をやめ、エアコンまでもがストップした。

「俺達はインド人でも、スリランカ人でもない、そんな悠長なのんびりした事してられないんだ、それに暑いぞ！　どうしてくれる！」

機内にいた欧米人が騒ぎ出した。

やっとそれから三十分後、一度空港ロビーにもどる事が出来る。

涼しい顔のスチュワーデスは一言もあやまらない。

遅れた理由をはっきり説明しないまま、飛行機が滑走路を離陸したのは五時間後の事である。

スチュワーデスが機内サービスを始め出したので聞いてみた。

「今日マドラスまで行くのだけれど、飛行機は待っていてくれるのか？」

「もう飛び去ったとアナウンスがあった」

たった一言、何も表情を変えないまま言い放つ。

「なんだと！　こっちは仕事なんだ！　どうしてくれる！」

一言怒鳴りつけると、

「次のマドラス行きは三日後だ。その間の滞在は心配するな。ホテルはこちらで用意したから」

「…………」

言葉が出なかった。

怒る気力もなくなっていた。

約三時間のフライトのすえ、飛行機はスリランカの首都コロンボへ到着する。

ここまで来るのに約半日使った事になる。

突然話が変わって三日間空港ロビーで寝泊まりしてくれ、などと言われてはたまったものではない。

航空会社のカウンターにつめより、機内でこう説明されたと大声を出すと、カウンターにいた男性係官は今度は笑ってごまかそうと考えたのか、満面の笑みをたたえ、

「わが社関連のビーチリゾートを用意いたしました」

と丁寧に話してくる。

一安心したので、ついでに、

「三食タダなんだろうな？」

強気になって聞くと、少し思案顔をした後、

「もちろんです。でもお酒はタダではありませんよ」

とニコニコと答えた。

航空会社の用意した古ぼけたマイクロバスに揺られ、海沿いのホテルへと向かうのは合わせて六人だけであった。

僕以外は皆欧米から来たバックパッカー達で、一人の若者と瞳が合うと、

「ラッキー」

と言ってウインクをよこして来る。

がたボロの一本道を走ってゆくと、風景は見事な夕焼けにそまり、生い茂るいつまでも続く森を深く、濃い緑色に変えていた。

車道の両側は、西アジアなら必ずそうであるように赤土がむき出しになっていて、勤めの終わった同じ作業服を身につけた大勢の女性達がゆかいそうに笑い、話しながら、ゆっくりと家路についている。

その間をぬうように学校帰りの可愛らしい制服姿の小さな子供達が子犬のように走り回っていた。

空港から三十分も走って来ただろうか、暮れなずむ頃、薄暗い光に照らされたみすぼらしいホテルへと到着した。

車から下りると、ねっとりとした潮風が肌にまとわりつき、遠くから波の音が響いて来る。

やけに活気のないホテルではあったが、海のすぐ側である事は間違いないようであった。

部屋に案内されて、ついて行くと想像していた通り、細長いシングルベッドが一つ、蚊帳をかけたままみにポツリとあるだけの小さな部屋であった。

エアコンは当り前になく、どこの国で製造されたものなのか、小さな扇風機が床に置かれていた。

シャワーもやはり水しか出ない。

「ジージー」とうるさく鳴る蛍光灯には小さな羽虫が集まり、ヤモリが三匹それらをねらっていた。

荷物をベッドに放り投げ、タダメシでも食いに行くか、とレストランへ行ってみると、一緒にやって来た若者達はもう食事を摂っていた。

真っ黒い顔のスリランカ人のウェイターが僕が席に着くとすぐさま、トースト二枚、バターと焼きすぎで脂ぎった目玉焼き二個を持って来て、

「コーヒー、オア、ティー？」

と聞いて来た。

「これだけ？　晩ゴハンは」

ビックリして聞くと、しばらく考えこんでウェイターは、

「オレンジジュース？」

と答える。

これがタダメシの正体であった。

何ともさびしいかぎりであったが、今日一日の長旅の疲れからもう何も言う気にもなれず、紅茶でパンを流しこみ、その日はすぐ眠る事にした。

翌日、どうせ何もする事などないんだからと昼近くまでベッドでごろごろしていると、窓の外から砂浜に波が打ちつけられる大きな音が聞こえて来る。

時おり、

「ドドーン」

と高波のような力強い響きまでして来た。

何か気がそわそわして、短パンとTシャツを着て海へと向かう。

小さなジャグジーのようなプールがこれみよがしにあり、昨日から一緒だった若者達は水着になりプールサイドで皆静かに寝ころんで読書をしていた。

見上げると空は快晴で、日差しは痛く、気温もかなり高かった。

小さな垣根を抜けると、目の前に遠く彼方まで見渡される広大な砂浜が広がっている。

外海なのだろう。

波は時おり二メートル以上の高さにまでなり浜に打ちつけている。

どこかに川でも流れているのだろうか、海の色は泥をふくみ茶色がかっている。

昼近いせいか、漁船は一艘も出ておらず、強い日差しと白い砂、茶色い海からは波音しかとどかず、まるで白昼夢でも見ているような気になる。

高い波をこえ、海へと入って行った。

なまあたたかい海水は、それでも気持ち良く、しばらく五十メートルほど泳ぎ、波に揺られながら、ふと不思議な事に気がついた。

どうして欧米の若者は海で泳がないのだろうか。

今まで行った事のあるビーチリゾートでは、年寄りはともかくどこの若者もプールではなく海で泳いでいたはずなのに。

ためしに海水をなめてみる。

少し塩分が低い。やはり側に河口があるのかな、などと思っていると、すぐ側をこぶし大の茶色い海藻のかたまりようなものが、いくつもぷかり、ぷかりと浮かんでいるのに気がついた。

「なんだ、こりゃ」

とつかんでみると、

「グチャッ」

と音がした。

つかんだ手の匂いをためしに嗅いでみると、

「ムムッ」

と気になる悪臭がする。

「あれれ」

ともう一度嗅ぐと……。

海水で少し薄まってはいるが、間違いなく、

〝ウンコ〟

の匂いであった。

あわてて周囲をもう一度注意深く見渡すと、あそこにも、ここにも、プカプカとウンコが浮いているではないか。

つい少し前、御丁寧に海水までなめたのだ。

急いで浜に上がり、ホテルが用意してあるシャワーを使い、体中、口の中まできれいに洗い流した。

「ババッちいことしたなあ」

と思いつつ、何故若者が海に入らないのかも理解した。

遠くを見るとヤシの木にかこまれた掘っ立て小屋が小さく見えた。

ホテルへもどり、ぬるいビールを飲んでいると集落の事が気になり出し、もう一度部屋のシャワーで石けんを使って体を清め、砂浜をてくてくと歩いて、集落へと向かった。

やっとの事でたどり着くと、漁村であった。

ヤシの葉で出来た小さな家々の前には漁から今朝帰って来たのか、いくつもの船が太陽に干され、塩をふいている。

ぼろぼろの大きな網がそのまま砂浜に広げられ、その横に百匹はあろうか、内臓を抜かれたカツオが放られ、ハエにたかられるままに砂まみれになって天日干しされている。

日差しをさけ、小屋の中で昼寝でもしているのか、大人達の姿はどこにもなく、ひっそりとしている。

近くで子供達のはしゃぎ声が聞こえて来たので、歩いて行ってみると、八人の子供がクリケットをして遊んでいた。

真っ黒に日焼けした肌にボロをまとい、裸足のまま砂の上で手作りのバットをふり回し、ボールを追っていた。

僕の子供の頃と同じ風景であった。

空き地があれば、そこはまたたく間に自分達の野球場に変わる。

日が暮れるまで、いつまでも野球をして遊んだものだった。

もともとイギリス領であった国はどういう訳かミャンマーを除き皆クリケットをする。

ルールを知りたいな、としばらく輝く瞳の子供達を見つめていると、つえをついた同い歳くらいの男の子がゆっくりと近づいて来た。

にこにこと仲間に話しかける。

「まぜて」

と言ったのだろう。

その子は何故だか枯枝のように細くあらぬ方向に向いた足をひきずって仲間に入った。

クリケットのルールは全く理解出来ないが、バッターは球を打つと、そのままバットを持って、もう一つの〝ベース〟と言ってよいだろうか、その場めがけて走らなくてはならない。ボールを打っては二ヵ所を行ったり来たりするのだ。

男の子はつえをついて、ゆっくり歩くのがせいいっぱいである。つえをわきにかかえ、バットをかまえる。

かまえるその姿はホッケーを思い出す。ただその子はゆらゆらと揺れていた。

ピッチャー役の男の子は今までとはうって変わり、とてもやさしい、ゆっくりした球を投げた。

かろうじて球はバットに当たる。

するとすぐ横にいた別の男の子が思いきり走り出した。

代走なのだ。

ルールが判らないので結果は読めない。

子供達は感情をおさえきれずに、心の底からいつまでも笑い続けていた。

彼らはまぶしく、美しかった。

砂浜に小さな男の子の姿が目についた。

手には小さなブリキの桶を持っている。

いつの間にか日はかたむき、空の色を濃い藍色に変え始めている。
二、三歳であろうか、男の子は素っ裸である。
てくてくと歩いて海へ近づき、波打ち際の、足にひたひたと海水が当たるところまで行くと、思いがけず、海を向いてその場にしゃがみこんだ。

瞳はじっと遠くを見つめていた。

どこまでも続く広い砂浜で、小さな男の子の背中は可愛く丸まっている。

そっと近づいて行き、横顔をのぞきこむと、うっとりと幸せな表情で、小さな一本の〝ウンコ〟をぽとりとひり出した。

海を漂っていたウンコはこの漁村から流れて来ていたのか。

桶に海水をすくい、まん丸なお尻をちゃぷちゃぷとすすぎ、何事もなかったように小屋へ入って行った。

生まれてからずっと、こんな広い便所を使って来たのだ。

この子が何かのきっかけで都会暮らしを始めるとする。
嫌だろうな。
あんな小さな穴に落とさなくてはならないなんて。
毎日一度は不幸を感じるのだろう。
その晩、タダメシをやめにした。
メニューを持って来させると、
〝フィッシュ・カレー〟
というのがあり、注文した。
出て来たものは、やはり。
〝カツオ・カレー〟だった。
漁村にあったあの天日干しのカツオかも知れない。サッパリとしてほどよく辛く、
美味かった。
「ラッキー」
と心の中でウインクした。

第2話
煮え煮えのタイ

旅行保険に入っていなかったおかげで、ひどい目にあった時の話だ。

一万円も出せば〝いざ〟という時の助けになる事は当り前に知っていた。

だがどうもあの保険というのが、保険会社という奴らが、うさん臭く、気に入らない。

金を払っておけば、いつ何時、事が起こってもあとは心配いりません。

そのやり方が気に入らない。

未来の事を考えて生きていた訳でもないし、そのたった一万円はいつの間にか酒代に消える日々。

海外で生活してもなお二年ほどそんなものに目もくれなかった。

不愉快な雨季の頃。

ひどい下痢がいつまでたっても治りそうになく、気合で肛門をすぼめながら生活していた時期があった。

医者に行く金もないので、近所の薬局で一粒五十円程の下痢止めを飲みながら我慢していたのだった。

日一日と痩せていく。

五十円の下痢止めはちょっとした凝固剤のようなもので、クソを少し形にしてくれるだけで、腹の中で増殖しあばれ続ける病原菌を殺してくれる訳ではない。

びしゃびしゃに濡れたままの街を、安アパートの窓にもたれて見ながら、

「一体何を食べて、こんなになったのだろうか」

と、あれこれ思い出しながら不安な毎日を過ごしていた。

下腹が絞られ、便所へ行くと、始めのうちは安薬のおかげでどうにか形ある物が流れ出て来るのだが、しばらくするうちに色も黄色く薄くなり、まるで青っぽなのようなのがトロトロと出て来る。

尻から切れる事なく水の張った便器までとどく。

悪い夢でも見ている気分になってしょうがない。

嫌な気分であった。

そんな日が三週間も続いたある日、久しぶりに同じバンコクに住む友人から電話があった。

「よう、元気」

「ひでえ下痢。もう体も動かせないや」

「入院しちゃえばいいのに……」

「そんな金、ないよ」

「あれ、保険は入ってないの」

「……あ、ああ……」

「一年一万円ですむんだよ、何で入ってないんだよ」

「保険だなんて、俺嫌だよ。好きになれないな。ところでなんだよ急に。仕事なら無理してでも行くよ」

「いやさ、俺も昨日まで入院してたんだ……」

その男はしっかりと旅行保険に入っていた。

「赤痢になっちゃって……。一週間入院。いやあ楽だよ、入院は」

「何、やけに楽しそうに言うじゃないか」

「俺もひどい下痢と熱でまいっちゃってさ、保険使えるって言うから即入院。点滴打ってもらったら、丸一日でよくなったよ」

「そんなものなんだ……」

「それでさメシも日本食まであるんだよ、もちろんタダ。久しぶりの三食和食。いやあ美味かった」

その頃僕は本当に金がなかった。

三食屋台メシで我慢するか、一日一食と決めて和食屋にある一番安い定食をとるか、必死になって悩む毎日だったのだ。

三食和食と聞いて喉がごくりと鳴った。

「きれいな個室でさ、腹いっぱいメシが食えて、栄養剤まで点滴してくれるから元気も出るし、おまけに毎日若い看護婦さんが体ふいてくれるんだぜ……。フフッ。温かいタオルで……。あそこまでだよ……。いやあ楽しかった」

看護婦の話を聞いて、僕は保険に魂を売った。

その当時一万円というと、現地の金で約二千バーツであった。

正直言ってその出費は痛かった。

しかし三食タダで和食。

点滴。

看護婦さんの体ふき。

全て夢のような話だ。

肛門に全神経を集中させ、えい！ と力を入れ、もらさぬように、保険会社のオフィスへと向かう。

紙で出来た仮のカードを受け取り、その足で友人の入っていた病院へと向かった。

トイレでウンコを小さな白い皿に入れて持って来る。

問診され血を採取された。

〝下痢〟などというタイ語を知るはずもない。

若い看護婦に英語とタイ語、身ぶり手ぶりで症状を伝えた。

バンコクの中心部にある巨大な私立病院の控え室には患者があふれていた。

皆身なりがいい。

なるほど友人が言っていたように看護婦は皆若く、白衣をまとったその姿ははつらつとしていて、てきぱきと忙しそうに動き回り、常に微笑みを絶やさなかった。

医者がやって来た。

ひどい下痢が二週間止まらずにいる事を伝えた。

「検査結果はまだ出ません。だいぶ弱っているようですね。どうですか、三、四日入院しましょうか……」

「――個室でお願いします」

会話が終わると横にいたスタッフにあれこれ指示を出し、

「それでは後で……」

そう言うとその場を立ち去って行った。

すぐに血管に針を入れられ、点滴を施してくれた。

「それではお部屋へ行きましょう」

移動式のベッドに寝かされたままエレベーターへ乗せられ、最上階の広い清潔な一人部屋へと入る。

「先生が見えるまで、少々お待ちください。何かありましたらそこのナースコールボタンを押してくださいね」

そう言うと看護婦は静かに部屋を後にした。

もう点滴が効いているのか、下腹の痛みは少なくなり、うっとりと眠たくなってきた。ベッドに寝かされたまま、部屋を見回す。

大きなよく光の差しこむ窓。

立派なテレビが天井からぶら下がっている。

リモコンでスイッチを入れてみると、タイローカル番組の他に衛星放送のCNN、BBCニュース、スポーツ、映画チャンネルが五つもあった。

幸せだ。

自分の部屋にあるテレビはローカルチャンネルしか見れなかった。しかも白黒である。

スポーツチャンネルでは英プレミアリーグの中継を映し出している。

サッカーを見ながら純白の臭くないシーツに体を埋め、久しぶりの甘い眠りに入った。

先生が部屋に入って来た物音に目を覚ます。

「あなた、これアメーバ赤痢ですね。でも治りかけてますよ。薬は何を服用していたのですか」

売薬の名を告げる。

「よく我慢しましたね、しかし完治するまでゆっくり休んで行ってください」

「あのう……」

「はい何ですか」

「晩ゴハン、和食がいいのですが……」

「今日はまだなま物と脂っぽいものはやめてください。おかゆとかうどんがいいでしょう」

やった！　今晩はうどんだ！

温かい天ぷらうどん。

心に誓った。

おにぎりも付けてやれ。好物のシャケとコンブのおにぎり。

何ヵ月ぶりだろうか。

たしかに友人の言う通り、入院はいい。

旅行保険、伝染病、万歳！

何だかとっても気持ちのよい、宇宙を彷徨っているような点滴でうつらうつらしていると看護婦が晩ゴハンのメニューを三つ持って来た。

タイ、アメリカン、そして和食であった。

「先生が言っていたように今晩はお腹によいものにしましょうね」

「はい、天ぷらうどんと、シャケとコブのおにぎり！」

「テンプラはだめです、油使ってます」

「じゃあタヌキ！」

「タヌキ？　タヌキ……タヌキ……。判りましたタヌキうどんとおにぎりですね。六時に持って来ます」

たぬきうどんをタイ人の看護婦は知らなかった。

つまらない知恵が働く自分をほめる。

腹痛も徐々におさまり、点滴にうっとりとしながらの和食は最高であった。

心の底から赤痢に感謝する。

食事が終わると、やって来た。

お風呂タイムである。
体中をくまなくふいてくれた。
寝まきを二人がかりで替えてもらい、体温を計る。
「明日の朝食は和定食でお願いします」
忘れないうちにそう伝えた。
点滴もとり替えてもらい、いく種類もの薬を盛られて、その晩はぐっすりと眠った。
夢も見ないで眠った。
この日から五日間。晩に食べたものを未だに忘れることが出来ない。
二日目。ステーキ定食。千五百バーツ。半月分の生活費と同じ値段。
三日目。天ぷら、刺身、焼き魚。その他いろいろ入った松花堂弁当。七百バーツなり。
四日目。寿司。〝松〟、千二百バーツ。
最終日。またもやステーキ定食にざるそば。
四日目まで三食全て和食であったが、五日目の昼、生意気にもクラブハウスサンドなるものを注文した。

調子に乗りすぎである。

三日目ともなると点滴のぶら下がった棒を引きながらベランダでタバコをふかし、毎日お腹いっぱいごはんを食べ、ちゃんと色のついたスポーツチャンネルをベッドで寝ころびながら見て、夜になると看護婦に体をふいてもらった。

海外に出て三年目。こんなに人に世話をしてもらい、楽な五日間はなかった。

海外で病気をするなら伝染病。

勝手な不文律を作っていた。

この入院から六年、タイで一人暮らしをしている間に二度大病をした。

一度目は蚊が媒介役になって毎年タイだけでも千人以上は死亡してしまう、デング熱という病気であった。

何だかおかしい。宙に浮いたような気分だな、と思いながらも翌日から取材旅行に出かけなければならず、気にとめていなかった。

その晩からである。

気温は夜でも三十度近いというのに寒くてしょうがない。

「やられたな」

そう思いながらも無理して出発することにした。

体温を計ると四十度を越えている。

体中の毛細血管が破裂し、体中が真っ赤になる。

食事は体が一切受けつけない。

それでも仕事を急にキャンセルしようものなら、次から仕事は来なくなる。

フレッシュジュースを飲むばかり。取材先はベトナムであった。

通訳をしてくれた方は医師でもあった。

「あなた、それはデング熱ですヨ」

そう言うと薬局へ行き薬を買って来てくれた。

「これを飲んでみてください。バンコクへ帰ったらすぐ入院です。判りましたね」

十日間の取材を終え、空港からなじみの病院へ直行となった。

赤痢の時よりひどく四日間眠りっぱなしだった。

その時は八日間入院。もちろん目覚めてからは例のごとく和食まみれに看護婦に甘えっぱなしの毎日。

次に入院したのはウイルス性の高熱が出る病気のためだ。

一日で治るも五日病院に滞在する。

治療費も高い事を言ってくるが、そこは旅行保険が支払ってくれる。


入院の話からそれるが保険会社と一度大ゲンカをした事もあった。

九三年五月、僕はカンボジア西部のとある村で、ポルポト派ゲリラに拉致された事があった。

その際三人の仲間の全ての持ち物を強奪されてしまった。

自分の持ち物の中には一番大切にしていたカメラがあった。

しかしその頃すでに保険に入っていたので、日本に帰国した際カメラ代に相当する現金を受け取るつもりでいた。

本来海外で物捕りに遭った場合は現地の警察から証明書を発行してもらい、保険会社に提出しなければ手続きはしてもらえない。

この事件はいくつもの新聞、テレビニュース等で実名入りで報道されていた。

しばらく忙しく走り回っていてなかなか帰国出来そうにもなく、新聞のコピーが証明書になるので、保険会社にＦＡＸで送って手続きをしておいてくれ、と母に言付けておいた。

七月になり、やっと一時帰国する事が出来、その件の事を母から聞くと、とんでもない回答をもらっていた。

「カンボジアは戦時下にあるので、カメラの二割ほどしか支払えません」

というものだった。

冗談じゃない。

すぐさま保険会社に連絡し、

「上の人間を出せ！」

と怒鳴りつけた。

クレームにはなれ切っているのだろう。

静かな口調の中年男性が電話に出た。

「申し上げた通り、カンボジアは戦時下です、そういった場所へ行く場合は戦時保険にご加入くださらないと……」

「判った。おたくの会社はそう判断すると」

「はい」

「そう。じゃあ聞くけど、自衛隊があの国に行ったよな……」

「ええ……」

「という事はおたくは今回の国連活動に自衛隊が参加したのは、憲法違反だと……」

「……あっいっ、いえ。その……」

「憲法に抵触してまで日本政府は戦時下の他国に自衛隊を出したと、おたくの会社は考えておられると……」

「おっ、お待ちください！」

受話器の向こうから〃エリーゼのために〃がピロポロと流れて来た。

二分ほど待たされた。

「あのさ、客に電話こんな長く待たすなよ。かけ直して！」

バシンと受話器をたたきつけた。

ものの三十秒で電話が来る。

「失礼いたしました。すぐに全額払わせていただきますので、私どもの間違いでした……」
こんな体質だから近年保険会社はどんどんつぶれていったのだ。

話がそれた。
今回バンコクで久しぶりに入院した。
運の悪い事に保険に入ってもおらず、それに四人部屋。
毎度のようにガラガラと寝たまま部屋へと運ばれた。
高熱に身動きも出来ない。
痛みで声すら出ない。
運が悪い時というのは続く。
点滴のための準備が始まった。
何故か看護婦が四人もやって来た。
三人は子供のように若い。
年のいった一人が三人に血管への注射の仕方を説明している。
身を乗り出して耳をかたむける。

「さっ、やってごらんなさい」

そんな事を言われると一人の娘が注射器を持って僕の手首に狙いをさだめた。

「おいおい待て！」

心の中で叫んだ。

「まず消毒だろうが」

それすら判っていない子であった。

怒られて小娘が代わる。

「消毒して、そうそう。慎重に……いいぞ」

見つめてしまった。

「ブツッ」

違うぞ！

もう一度……。

「ブツリ…」

血管に入っていない。

さらに

「ブチリ…」

何度やってもうまくいかず、「テヘッ」と照れ笑いを浮かべる娘。

患者の身になってくれ！

六度目、ようやく正確に針が血管に入った。

今までで一番強力であった。

ものの五分で意識を失った。

人の話し声で目が覚める。

白いカーテンごしにじいさんとその孫が、大声で話し合っていた。

タイをはなれて早五年。ほとんど会話が理解出来なくなっていた。

時おり気持ちの悪い大きな咳をすると、孫が「トントン」と背中をたたく音がして来る。

「ベチュ！」

とたんつぼにねばっこい物が落ちる音がして来た。

斜め向かいのベッドは空いていた。

看護婦の出入りがあるので足下のカーテンは開いたままになっていた。

向かいの中年男性は、奥さんと、お手伝いの女の子が介抱している。言葉を注意深く聞いていると、ミャンマー人の家族であった。夫婦はタイ語が話せなかった。お手伝いの女の子が通訳をして医者や看護婦とやりとりをしている。

中年は頭に包帯をグルグル巻きにされている。いつも耳の後ろに血がにじんで赤黒くなっている。中年は一日中眠っていた。

隣りのじいさんと孫のところには家族だろうか、ひんぱんに人が訪れた。来るのはかまわないのだが、どうも静かにしていられない。大声で話し、笑っている。

それにどうしてなのか、ドア側のベッドで寝ている僕のカーテンの中に入って来ては、無言で顔をのぞきこんで行く。

全員が、必ずそうした。

ひどいのになると赤ん坊を抱いたおばちゃんは、僕を指さして子供に向かってつぶやいていた。

ひとしきり騒ぐと一族は帰って行き、一時間もするとまた別の家族がやって来ては、大声で話し合っている。

文句の一つも言ってやりたかったが、なにせ喉がやられて声が出せない。

向かいの中年が目を覚ました。

便所へでも行きたいのか、ゆっくりと立ち上がる。

奥さんが肩をかしてあげていた。

ゆっくりと歩み出す。

奥さんがベッドのタオルを持って行こうと一瞬夫の体から離れると、中年はそのままロボットのように自力で歩き出し、そのままドアに「ゴン」とにぶい音を立ててぶつかってしまった。

この中年は頭をどうかしたのか、真っすぐにしか歩けなかった。

それも前進だけ。

止まる事も出来ず、方向転換も出来ない。

アイボより性能は悪かった。

その晩、夕食は抜きであった。

水を飲むのすら、痛くて仕方なかったのだ。

看護婦がやって来た。

「明朝から食事です。今日はゆっくり休んでください」

〝うんうん〟と頷くのみ、声が出せない。ベッドの背を、少しだけ立てた。

向かいのミャンマー人の奥さんがゴハンを炊き出した。

お手伝いの女の子は電気コンロでスパイシーな匂いをまき散らしながら、鶏のカレー煮込みをぐつぐつさせている。

いくつものタッパをカバンから取り出し、お総菜を小さなテーブルに並べ出す。

病院は自炊を許しているのだろうか。

部屋中が炊事場の匂いになってしまった。

女の子と目が合った。

「一人なの？」

話しかけて来た。彼女はタイ語を話せた。

「うん、うん」

喉を指さし、声が出せない事を教える。

「可哀そうねぇ……。一緒にゴハン食べる？」

手をふっていらないと言った。

今この体に、カレーは無理だ。

「そう、じゃあこれよかったら食べてね……」

そっと枕元に、ポテトチップスの小さな袋を置いてくれた。

タイ語の商品名の横に、英語で、

「スパイシー、ホット」

と書いてあった。

気のやさしい、いい子なのだが……。

夜おそく、じいさんの家族がやって来て、わいわいとひとしきり騒いで帰って行った。

やっと静かになるのか、そう思っていると入れ違いに今度は〝いかにも私はゴーゴーバーの女です〟といったナイスバディな女に連れられて若い欧米人がやって来た。

顔をゆがめて腹をさすっている。

何かに当たったようだ。

女はさほど心配した様子もなく、それでも背中をさすってあげていた。

ミャンマー人家族は小さなベッドに川の字になって、すやすやと眠っている。

看護婦がテキパキと若者に処置を施している。

ほどなくして部屋はやっと病室らしく、静かになる。

部屋の照明が消された。

「さあ眠るとするか……」

と目をつむると、若者のカーテンの向こうからテレビのちかちかする明かりと、全く気を使っていない大きな音が流れて来た。

どうしてこうなんだろうタイ人という生き物は。

女がテレビをずっと見ている。

時計を見ると一時を回っていた。

しかし夜の仕事をやっているのであれば、まだ体をくねらせている時間だ。

眠くないのだろう。

夜が明ける頃、ようやく静寂を取りもどした。

半睡半醒のまま朝を迎えた。

喉は嘘のように治っていた。

さあ日本食でも食うか、昔を懐かしんで同じ事をしてやろう。

そう思い枕元の食事のメニューを取り上げる。

〝和食〟メニューがなかった。

ナースコールを押した。

「日本食ないの……」

「ええ、なくなりました」

「どうして……」

「あの食事、外にある食堂から運ばせていたんです……。そうしたら……」

「そうしたらって」

「それは保険の対象外だったんです。だまし取っている事になってしまうって。やめました」

生命保険会社はどれだけの数の会社が、どれだけの年数、いったいいくら損をしたのだろうか、ほんの少し気の毒になった。

第3話
煮え煮えのベトナム

夏だ。暑いぞ。どこか行きたい。

でも東京近郊の海だけは絶対に行かない。

ニュースで江の島とかやっているけれど、なんだ！　あの海の色は。

あれは海とは言わない。チャオプラヤ川と言うんだ。

あんな茶色い海を見ながら何をしろと言うんだ。

まかり間違ってあんな場所に行ったとしよう。結局、裸にもならず、海の家でイライラしながらビールをガブ飲みして、舌にコケをはやして、ついでにかき氷を食べてコケを真っ赤にしちゃって、帰りに酔っ払い運転で事故っちゃって、愛車をグチャグチャにして、疲れまくってどうにか家にたどり着いても、ワケを話すと、何も言わずにカミさんに追い出されてしまうだろう。

きっとそんな不幸が待ち受けているに違いない。

ここいら辺の海にだけは近づきたくない。

それになんなんだ、あのきたならしい色の娘どもは。

いいかげんに飽きないのかね、あの真っ黒黒助ファッションを。

日本の娘の夏と言えば、白い肌が日を浴びて、肩のところや両ホッペ、鼻の頭がポッと赤くなって、のぼせてしまってボーッとしている。それが日本娘の夏だと思うのだが、どう思いますか。

海もきたない、女もきたない、そんな海に行ってもしょうがない。

だからベトナムへ行くことにした。

まず雨季のバンコクで書き下ろしの仕事をして、まとまった枚数が出来たら担当の誰にも何も言わず、こっそりとホーチミンへ飛んでしまう。

バンコクからだったら飛行機で二時間だからね。

ゲッツとの取材旅行ではいつも安宿ばかりに泊まっていた。いいんだ奴はそれで。彼はいじめて窮地に陥るほどにいい泣き声を上げる。

いじめるほどに帰ったあとにいい文章を書く、イジメ甲斐のあるいい野郎なんだ。だから彼と一緒の時は安宿が良い。

今回は一人旅だからホーチミンでは今まで泊まったことのないホテルに泊まろう。

マジェスティックホテルなんかいいな。前から泊まってみたかった。ピュリッツァー賞を取った故・沢田教一氏のいたホテルだ。

あのホテルの最上階から見るサイゴン川、街の夜景、どれも素晴らしかった。

朝、夜明けとともに街にくり出す。

早朝の散歩で一番僕が好きなのは、この街。

特に季節の変わり目、この街の色がなんとも良い。

上空の雲のせいだろうか、街全体に青系のフィルターをかけたようになり、日が完全に昇るほんの一瞬、今度はピンク色になるのだった。

そして川沿いに道を歩いて行き、太極拳をしている団体を横目に一本の路地へ入る。

朝早くからやっているミー（日本でいうところのラーメン）のとびきり美味な店へ入る。

量が少ないので二杯はいける。

汁そばと汁なしを食べる。

美味いんだ、本当に。でも場所は教えない。

そしてちょっと歩くには遠いが、ハイバチュン通りをのぼっていくと、一軒のフォー屋さんがある。

ここの鳥うどんがまあまあいける。

もやしを入れライムをちゅっと絞るとまたグンと美味くなる。

満腹になったところでホテルへ帰る。

シャワーを浴びて二度寝。

昼過ぎまで寝て、今度はプールサイドへ。

ゴロッと横になって、ビールをガブ飲み。

読めもしない人民日報をパラパラとめくり、広告に書かれている漢字を見たり、日本のどの家電メーカーが人気なのかを研究したりしながらまたうとうととする。

夕方、ムクと起き上がり、また町へくり出す。

とあるロータリーへと向かい、そのあたり一帯にある屋台の一軒で五千ドンをおばちゃんに渡し、ビールを飲み、ハマグリをボイルしたのを食う。

このあたりは春巻き屋や串焼き屋、そして僕の大好きなこの貝屋さんなどが集まっているところで、僕は決まって一軒の貝屋さんでビールとハマグリ、こればかりを注文していた。

いつもこればかりなので、僕の顔を見れば、ここのおばさん、さっそくバーバーバービールを持って来て、ハマグリを茹でにかかる。

ここにどっしりと腰を下ろし、家路を急ぐバイクの群れを見、夕日の沈む中、子供の耳くらいあるムチムチでアツアツのハマグリをパクつく。

これが江の島で出来るだろうか。

腐った海とコパトーン臭いねーちゃん達にまいって、くそまずいラーメンをするのが関の山である。

この場所で夕暮れ時、このハマグリ……。僕が一生忘れない味の一つだ。

二皿も食べた後、今度はサイゴン川へと下り、海鮮料理の店へと入る。

ここではもっぱら、太いカエルのもものフライか、カニをカラごとニンニクや香草、しょうゆで味付けして炒めたやつを食べていた。

この店でもやはりこの二品のうちどちらかしか頼まなかったので、僕が来れば店員は片手にカニ、片手にカエルを持って来て、「今日はどっちにします」と目で聞いて来るようになった。

カエルの調理方法はどうやらフランス人が教えたのではないだろうか、ころもにしつかりとバターの香りがする。

誰が何と言おうと、どんな高級な地鶏を持って来ようと、ここのカエルの足にはかなうまい。こいつもカニも、必ず食べる僕の好物の一つだ。

これがお台場で出来るだろうか、なんかインチキくさいパスタかなんか食ってシマイだろうな。

楽しく食って飲んで散歩しても、三日もすれば飽きてくる。

次に向かうは本格リゾート地にしよう。

向かうはフーコック島。

いいところなんだよ、ここも。

僕の理想とするビーチリゾート、それはきれいな海、何もない浜だけでいい。何もない場所だという事。

強いてあげれば蚊帳つきのベッドとファンがある部屋。

そこそこに美味い食い物と酒、ついでに時々気持ち良くなれる煙が吸えればもうこれで満足。

この僕の理想にかなった場所は、今までにこのフーコック島と、インドの最南端のアンダマン島、二つだけだった。

アンダマン島の自然には驚かされっぱなしだった。

すみきった海は当り前、延々と続くマングローブの森、ものの五メートルも泳ぐとすぐ下はサンゴがびっしり、サリーを着たまま海に入るインド人のおばちゃん、金魚のよう。

本当に美しい場所がいっぱいだった。

でもこの島、一つだけ大きな問題があった。

食い物がカレーしかない。

僕の大好きなメン類がない。

それは、嫌だ。

という事でフーコック島。

ここはもったいない事に田舎なもので化学調味料に頼りすぎるきらいがあったが、でも料理はまあまあなんだ。

もちろんとれたてシーフード。

それにちょっとした町まで行くと美味しいフォーも食えるし、野ネズミの焼いたのなんかで一杯って事も出来た。

この島の最大の売りは二つある。

その一、見た事のない昆虫がウジャウジャいる。

以前この島で見た昆虫で図鑑にも載っていないカミキリ虫を捕まえた。

米軍がイラクに攻めに行った時の迷彩服、憶えているかな、茶色っぽかったんだけれど。まったくあれと同じ色の背中で体長十センチはあったな。そしてその触角のフシごとに、ふさふさしたかわいいぼんぼりがついていた。

指でつかむと「ギューーギュー」って大きな声で鳴くんだよ。

虫というのは第一発見者が命名していいんだとか、したがって僕はそいつに〝カモシダナキボンボリ〟という素晴らしい学術名をつけてやった。

その二、鳴き砂の真っ白なビーチ、当然売店も何もない浜が一つある。

〝ケム・ビーチ〟と言う。

四年前、僕は誰もいない事をいい事に、ずーっと素っ裸で一日中遊んでいた。

本当に何もない、楽しい砂浜だった。

第4話
煮え煮えのミャンマー

1

今日も昼過ぎに起きた。いつの間にか停電になっていたらしく、部屋はものすごい暑さだった。昨晩の痛飲のせいで、ネバネバした汗がラッピングされたように身体に張りついている。

東南アジアの夏、と言うと聞こえはいいが、酷暑期と言うべきだろう。それは本当に突然やって来る。もちろん一応の季節はあるわけなんだが、その夏と言われる季節の中でも、一番暑くなる二〜三ヵ月間に入るまさにその瞬間、というのが本当にある。夜寝ようと思っても昨晩と違って温度が下がらなかったり、朝起きてみると前日とは違う温度に違和感を感じたり……。そうなるとこっちの人は、暗い眼差しで「嫌な季節になりましたね」と、口々に挨拶を交わす。

いま、僕はミャンマーの首都ヤンゴンに来ている。四年ぶりになる。結婚してから東京での生活が長くなり、それまで毎年バンコクで体感していた夏から酷暑期へ変わるその一瞬を、まさに三日前にこの町で感じた。まる九年のバンコク生活でのそれは、苦行のように感じたが、今回はむしろ心地よい久しぶりのアジアの季節、という感じだった。だって三週間もすれば、すぐに東京に帰れるんだから。

「停電か。この安ホテルが、ジェネレーターあるのにケチりやがって」

と、独り言を言いながら窓を開ける。と言っても、五十センチほど先には民家の壁があるので勢いよく風が入って来るわけでもなく、身を乗り出して風を受けるようにしてみても、背中に冷たいしずくを感じるだけだ。見上げると、隣りの民家のおばさんの洗濯物から水が滴り落ちていたりする。

しずくをよけるようにして、真夏の真昼間の真っ白になった通りに目をやると、人通りが全くないのに鈴を鳴らしながらアイスクリーム売りの少女が右から左へと行き、それと交差するようにエレキギターの泣き声のような素晴らしい声を持ったじいさんが「ペービョ、ペービョ」と、声を引っ張りながら豆を売り歩いていた。

民家の壁のせいで外光がほとんど入らない小汚い部屋の中にもどり、冷蔵庫からビールを取り出し一気に飲み干す。そうすることによって身体は、冷えるどころか逆に熱くなるのは判っている。しかし、昨夜からのベタベタした汗とは違うサラサラの汗がかきたかったし、何よりひどい二日酔いであった。タバコに火をつけながら昨晩のことを思い出してみる。一体全体、あの人達はどこでどうやって集まって楽しんでいるんだろうか……。

四年以上前の事である。町の中心地にあるホテルのディスコで、およそこの国では想像しかねる光景に出くわした事があった。

やれ民主化だの、軍事政権がどうのと、今よりもこの国の政治が動きそうな感じがした時期。ミャンマーの国民はもともとひどく保守的で、ロンジー（巻スカート。男女共にこれを着ける）の代わりにジーンズを穿いているごく少数の若者などは、周囲の人々から汚いものを見るような目で見られる、といった国だ。

その当時、僕にはミャンマー人でありながらヘビーメタルロッカーをやっている友人がいた。ある日突然、僕の下宿先に電話があって「すぐ来てくれ」と言うので、彼らの溜まり場に行ってみて思わず吹き出してしまった。バンドの四人全員、腰近くまで長く伸ばしていた髪がちびまる子ちゃんみたいにおかっぱになっていたのである。

「政府の奴らにやられた。コンサートの真最中にだ」

と言っていた。四年前にあったこのエピソードは、政治的な事というよりもミャンマーの国民性を知るうえで面白い出来事だったと未だに記憶に新しい。

町の中心地にあるホテルの最上階のディスコがその当時の僕の行きつけの場所だった。フィリピンバンドが演奏する、というのがウリのここでは、僕は来れば必ずフレディ・アギラの名曲『アナック』（息子よ）をリクエストしていた。

ある週末、友人のコーウィンと連れ立ってまたこのディスコへ行った時の事。コーウィンがそっと耳打ちしてきた。

「カモちゃん、そっと見てください。今日は何だかゲイの人達がたくさん来ています」

フロアを見回すと確かに身綺麗な格好をした三十人ほどの男性だけの団体がいた。

「しかし、コーウィン。何だってゲイって判るんだよ」

「だってほら、服。ロンジー穿いてないし、高い服着てるじゃないですか」

「ワハハ、高い服着てるとミャンマーじゃゲイなの」

「違うんですよ！　ほら、みんなの服、センシティブじゃないですか。ええと、日本語で……オシャレ。そう、オシャレでしょ」

たしかに、その三十人ほどの男どもは皆一様にオシャレだった。それによく見ると耳にピアスをしている男までいる。この保守的な国で普通の男性がお洒落のためだけにピアスをするとは到底考えにくい。ましてや数日前、おかっぱのヘビメタを見せられたばかりだ。いくら若いとはいえピアスなどは、周囲の人達が真っ赤になって怒鳴りつけるところだろう。

「でも、コーウィン、ミャンマーってゲイ、多いの」

「いっぱいいますヨ。あのー、日本語でオカマ、ですか。それもいっぱいいます。でもこうやって集まる場所があるとは知りませんでした。普通、ゲイの人達、人に判らないように静かに会ってセックスすると思ってました。だってミャンマーはオトーさん、オカーさん、息子がゲイだと、とても悲しみますから」

「それは日本も一緒だと思うよ。それより、このディスコ、入るだけで十ドル取られたじゃない。こんな事言ったら悪いけど、ミャンマー人には高いよね」

「ええ、だから彼らはお金持ちの家の子ですヨ。間違いなく」

「判った。コーウィン、僕は彼らを取材したい。誰でもいいから一人ここへ呼んで来てよ」

「カモちゃん、それはダメです」

「いいじゃないかヨ。一人でいいんだからさぁ」

「カーモちゃん、僕はずかしいですヨ、ゲイの人と話すの。だったらカモちゃん、一人で向こう行きなヨ。ゼッタイ英語大丈夫だから」

「言われてみると僕もちょっと……。そっか、また来週来て、友達になって、それからいろいろと話を聞こう。ねっ、そうしよう」

しかし、二日後、僕にバンコクにもどるよう連絡が来た。ミャンマーのゲイ達、ミャンゲイとはそれっきりになってしまった。


僕は媚を売っているのでもなんでもなく、ゲイカルチャーというものに好感を持っている。とても長い目で見てみるとする。たとえば歴史年表のように。そうすると、この二十世紀の歴史の一部に、恐らくアメリカ文明というのが何年後かには表記されるであろう。そしてその中に、必ず出て来るのは〝ゲイ・カルチャー〟という部分だ。歴史に残るから良いというのではなく、明らかにその時代に何かを残すから歴史になるんだと感じている。

僕は来世紀には東南アジアで一、二を争う国になるであろうミャンマーの現在を見るのが大好きで、だからこそこの国のゲイの取材というのは必須アイテムだったはずなのだが、四年前の僕は青かった。

で、それから四年後の昨日、コーウィンとディスコを三軒ハシゴした。

でも彼らに再び会う事はなかった。突然、ゲイをやめるというのは不可能だろうから、また新しいスポットを見つけたのだろう。以前彼らが集まっていた場所では、バンコク辺りに出稼ぎに行っていた売春婦たちがタイの経済悪化で、向こうでの仕事がなくなり、仕方なしにヤンゴンへ帰って来て同じ商売をしているようだった。

冷蔵庫から冷えていないビールをもう一本取り出す。結局今日も日がな一日酒浸りになるんだなぁと、一人苦笑いしながらテレビのスイッチをつけてみた。ホテルもやっと重い腰を上げてジェネレーターを動かし始めたようだった。

だらだらとテレビを見ると、ミャンマーのお料理教室が映っていた。インドのチキンビリヤニ（インド風炊込み御飯）のような物を作っていた。火力は煉炭と木炭だった。

この国、未だかあちゃんが炭に火をおこすことから毎日の生活が始まっている。大変だよな、それって。僕がもし、そんなこの国に生まれてゲイだったとしても「かあちゃん、俺、ホモなんだ」とは到底言えまい。

2

暑い。それにしてもクソ暑い。あんまり暑いものだから耳の奥からジーッて変な音が聞こえてくる。

ミャンマーの首都、ヤンゴン。起き抜けにビールを三本立て続けにあおる。しばらくすると脳みそがツーンとしてくる。これがたまらなく良い。今は胃カメラじゃなくて、もっと細い脳の血管まで入りこめるカメラがあるらしいが、あの管が頭に入りこんでる時ってこの起き抜けのビールの脳みそツーンに似ているのじゃないだろうか。などとバカな事を考えながら、隣の民家が目の前にあるせいで太陽の光がほとんど入らない窓を開ける。

ほんの五十センチほどしかない隙間から道を見る。しばらくすると、来た来た。三角の編笠を深々とかぶった、ためしにかじってみたらきっと砂肝みたいに固いであろう細身のじいさんが、ランニングシャツにロンジーだけで、豆を入れたザルをつるした天秤棒を担いで真っ黒な自分の影を踏みながら歩いていた。部屋の時計を見ると、やっぱり一時十分だった。

このつまらない安ホテルに投宿して四日目の朝、じゃなくて昼。日本で言うところの近所の学校が五時になると必ずスピーカーで流す「夕焼けこやけ」の歌のように、決まって豆売りのあのおっさん、一時十分になると僕のホテルの前を上野の魚屋の親父のような金属音で「ペービョ、ペービョ」と豆を売りに歩いて来る。

目覚まし時計のような不愉快にさせる音でもなく、道を走るうるさい車のエンジン音でもない。労働するひたむきなアジアの目覚ましだった。

豆売りのおっさんの一日の生活の全てが理解出来たような気になって気分が良くなったところで友人のコーウィンに電話する。

このコーウィン、いわゆる不法就労で日本で五年間、土方や日雇いをして金を貯めて、その金でミャンマーで宝石店をやって成功した、酒と女を愛す二児の父親である。

「コーウィン、僕です。カモです」

「カーモちゃん。だいじょーブ。ゴハン、まだ食べてないですね。僕の奥さん、料理作りますから、スグ来てください。ネ」

ホテルから歩いてたった三分のところに彼の住んでいるアパートがある。ドアをノックすると、若い頃の辺見マリそっくりの奥さんが出迎えてくれた。

「カーモちゃん、ちょっと待ってください。僕の奥さん、火を今作ってますから」

火を作る？　見るとやっぱり炭をおこしているところだった。

コーウィンは日本語を学校で学んだ事は一度もないと言っていた。独学で外国の言葉を学んだ人間というのは、たいがい僕も含めてボキャブラリーが極めて少ない。その少ない単語を自分勝手に組み合わせて会話をするものだから、発する言葉は実にオリジナリティにあふれている。それから独学で勉強した人はスケベ言葉をよく知っている事が特徴だ。

たとえばタイ語スケベスラング「チャク・ワァオ」は、直訳すると日本語で言うところの「凧上げ」。何の事かと言うと〝ますかき〟の事なのだ。こんな事ばっかり頭に入っちゃって、肝心のタイ語の読み書きは全くダメだった。それはコーウィンも全く同じ。

「さーてと、カーモちゃん。ビールもう飲んでるでしょ。ウィスキー飲みましょう」

アゴで末娘に酒の用意をさせる。それを見ていた長男はスーッと二階へ行ってしまった。

「コーウィン、何か悪いな。長男勉強してるんだよね、外行こうか」

「心配ない、僕の息子さん（なぜか息子をさん付けする）、上で勉強しますから平気。彼はね、ワタシお酒飲むの嫌いなんですヨ。大きい声でバラバラ話すの嫌いみたい」

ミャンマーの学校は三月から五月末まで長い夏休みとなる。

「ウィスキー飲みながら今日は何の話をしようか」

急に体を縮め、肩を落としてフーッとため息をつくコーウィン。

「カーモちゃん、大変です。あのうちの娘さん、カーモちゃんヤンゴン来る前の日、始まりました」

「なに⁉　男とやっちゃったの。グレ始めたの」

「なーんて事、恐い事言わないの。あのねー、私の娘さん、オマ○コから、血、出しました」

「……⁉　コーウィン、それ日本では生理と言うんだよ」

「え、ナニ？　セ、セーリ？　はいはい判りました」

と言いながら傍らに置いてあったノートに書き込む。僕と酒を飲む時、必ずそのノートが側にあって、新しく聞いた日本語を書いていくコーウィン。お互いロクな事話していないのに、その行為は危険だと僕は思うのだけど……。

「カーモちゃん、僕、さびちいですヨ。娘さん、まだ十二歳です。もう女になりました。ケッコンしちゃいます」

ケッコン？　セックスの事か？　指で丸と棒を作って「結婚って、この事？」と訊く。

「そーです。それニホンゴで何と言いますか」

「それは〝まぐわう〟と言うんだヨ。で、ケッコンは男と女が同じ名前を持つこと、かな」

まぐわう、まぐわう、と言いながらまたノートに書き込む。

「クーッ、私の娘さん、もう、まっ、まぐわう事、できるんです。私さびちいです」

「別にいいじゃない。コーウィンだって奥さんとまぐわったから子供、二人もいるんだし。それより息子、もう十六歳になったんだよね、どう、せんずりしてる？」

「なーにを失礼な事を。絶対そんな事、しません。ミャンマーの人、ケッ、ケッコンですか、その前にセンズリ、絶対しませーん」

怒り出したコーウィン。ちなみに、日本語のせんずりは四年前コーウィンに僕が教えた。

「本当なの、それ。俺そんな事信用しないな」

「本当ですっ。ミャンマー人真面目に仏教信じる人達です。結婚の前にセンズリ、しませーん」

「じゃコーウィンはどう？」

「…………」

「なに黙ってるんだよ」

「イッ、イヤッ、僕はしましたヨ。僕は不良だからいいんです。ワハハッ、カーモちゃん、僕はしてましたよ、十四から。でも息子さんはしてませーん」

「ワハハ、嘘じゃないか、ミャンマーの男だってみんなやってるヨ。しかし、今の話、日本語だからいいけど、家族のみんな何話してるか判ったら怒るだろうねー。何か悪くなっちゃったよ。ワハハ」

お互い子持ちの三十過ぎの男が国境を越えて語り合うにはあまりにも子供っぽい内容。

まあいいさ、明日からは仕事だ。

「ところでコーウィン、たしか四年前もう一人子供が欲しいって言ってたけど、どうするの」

「いやあ、奥さんとガンバッたんですけど、まだなんですよ、それより……」

と、言ってうつむいた。

「カーモちゃん、僕ねえ、日本行って仕事たくさんしました。金もいっぱい持って帰って来ました。今ビジネスもすごく調子いいです、でも……」

「何、どうしたの」

「この前、一緒にディスコ行って見たでしょ、たっくさんの売春婦達を」

「ああ、いたねえ、ちょっと前だったら、あんな事絶対あり得ない事だったよねェ。昔は女探すの、すごい大変だったもんね」

「そうです。で、僕は今考えてるんです。僕はお金持ちになりました。だから、もう一人新しい奥さんを欲しいなぁって」

「何で。いい奥さんじゃない、美人だしさ。何か問題あるの」

「問題は何もありません。ただ、奥さんと今えーと、ま、まぐわうのつまらなくなったんです。僕日本でビデオ見ました。そしたら日本の女もヨーロッパの女もたっくさん色々な事してくれました。あっ、あのチンポ食べるの日本語で何と言いますか？」

「尺八だよ」

しゃくはち、しゃくはち……と言いながらまたノートに書き込む。

「しゃくはち、とかして欲しいからスケベなビデオ買って来て、奥さんに見せました。そしたら一週間口きいてくれなかったんです」

「はあ、だめですか」

「ハーイ、だめだって。それに僕の奥さん、日本の女やヨーロッパの女みたいにまぐわってる時に変な声とかスケベなアクションとかならないんです」

「コーウィン、それはマグロって言うんだよ。なるほど、悩みは判った。もう夜になったし、行こう、この前のディスコに」

マグロ、マグロッと言いながらまたノートに書き込むコーウィン。その声を聞きながら今度は気をやる、を教えなくては、と考えていた。

3

自分のカミさんにチンコをくわえられた事など一度もなく、ましてや自分の力でカミさんをイカせた事すらない。未だに週二回はセックスをしている、精力は間違いなくあるんだ、しかしいつもマグロ状態で反応は全くナシ……。結婚して十七年になる。はたして自分たち夫婦は幸せなのだろうか。

売春婦のたむろするディスコへ向かう車中、みのもんたに悩みを相談する電話をかけるバカ主婦のような話をして来るコーウィン。しかもスケベで楽しいセックスがしたいから若い愛人を作りたいなどと言い出した。一体何が彼をそこまでせき立てるのだろう。

「ねえ、コーウィン。奥さんにもっとスケベな事して欲しいんでしょ。なんで急にそんな事思うようになったの？」

「いっ、いやぁ、カモちゃん、僕は真面目な仏教徒ですヨ」

「なんだよ、いきなり。そんな事判ってるヨ、僕だって」

「僕はねぇ、ムスメが生まれた時ブッダに誓ったんですヨ、何か大好きな事を一つやめるって。で、いろいろ考えたんですヨ。酒、タバコ、キンマー（かみタバコ）、そして女。でねカモちゃん、ボク奥さんいるからいいやって思って他の女とセックスするのやめにしたんです。それボクずーっと守って来たんです。奥さんとしかセックスしないで、十七年間ずーっとガンバッたんです。子供たちが家にいる時にしたくなったら、二階で静かに鳥のように〝シャッ〟ってやってたんです」

「ふーん、鳥の交尾ねえ」

「日本で仕事してる五年間、ずーっとセンズリでした。一度、金がいっぱいある時、どーしても我慢出来なくて外人でもやれる大塚のソープランド入った事あるんです。そしたらものすごいオバさんでブスでした。だからしないで帰って来たんです。その時もブッダがボクを見ていてくれたんだ、助けてくれたんだって思いました」

「ブッダが助けたとは思わないけど、あんた、エライよ」

「ホントーは時々、どうしても他の女としたくなって売春婦探した時もあったんです。ほらカモちゃん、ほんの四、五年前は売春婦見つけるの大変だったじゃない。それで見つかっても、ホーント、ブスばっかりでしょう。やっぱりブッダが見てくれてると思って、しないですましたんですヨ」

「いや、だからブッダが助けてくれたんじゃなくて、ババァでブスだから、ヤル気にならなかっただけでしょうが。……でもたしかに探し出してもまともなのいなかったね」

つい十数年前まで、この国の政府は鎖国していたものだから、都市部においても他のアジアの国々よりも貨幣経済が進んでいなかった。だって大金を使って買う〝モノ〟がそれほどある訳ではないから。

それに何と言ってもこの国の人口の約八割の人々が敬虔な仏教徒。何かと言うと、お寺に金品や食べ物などを寄進していわゆる〝徳〟をつむ。どれだけ良い行ないをするか、それによって、来世の自分の生まれ変わりの時に、虫やら犬やらではなく〝人間〟として現れてくることを日々願う。また来世で生まれ変わるということを信じて疑わないから、生活に困っていたとしても売春婦というのはなかなか存在しなかった。

しかし四年ぶりに来て、ここヤンゴンの売春婦事情というのがだいぶ変わってしまったようだ。その昔はと言えば、一軒家でひっそりと商売してるか、場合によっては車で一時間以上飛ばしてやっと見つけるといった具合だった。それに、そこにいる女と言ったら、もう何だかつぶれたオケラと言おうか、生乾きのかさぶたみたいな泉ピン子か菅井きんが待っているのだった。折角探し出した揚げ句、ビールを飲んで帰る、ただそれだけだった。

それがどうした事か、以前行ったディスコでコーウィンと僕はびっくりしてしまった。大勢の女達がおおっぴらに集まって来ていて、なおかつ美形がとても多かった。考えられない事だった。実情は何だか判らないが、これも市場経済のうちの一つなんだろうか……。

「カーモちゃん、ボクは十七年、奥さんとだけしてました。ミャンマーの女の人はみんな同じ……えーと、マグロ？　マグロだと思ってたんです。でもこの前行ったディスコ、美人いっぱいいたじゃないですか。で、ボクの友達であのディスコによく行く男がいたんで聞いてみたんです。そしたらあそこにいる売春婦、しゃ、しゃ……」

「尺八ね」

「そう、シャクハチもしてくれるし、いっぱいスケベな事してくれるんです。まぐわってる時、大きな声も出すしアクションもすごいんです。友達言ってました」

「そりゃ向こうは商売なんだから」

と言ってやりたかったが、やめといた。

「ボク、もう決めました。奥さん以外の女とセックスします。そのかわりキンマーやめることにします。いいでしょ、これで」

「コーウィン、クンニって知ってる」

「何ですか、それ」

「男が女のオ○ンコペロペロなめることだよ。スケベなビデオで見た事あるでしょ」

「あぁ、あれクンニって言いますか。判りました。した事ないです」

「奥さんにだよ」

「一度もないです。そんなきたない事、ボク嫌です」

「いやぁ、だからさ、他の女の子とヤルのはいいけど、まず奥さんにしてみたら？もしかしたらマグロじゃなくなるかもよ」

「そうかなぁ……判ったカモちゃん、今度してみるヨ。でも今日はここで女の子と話してホテル行きますからね。そうか、クンニか……」

クンニ、クンニと忘れないようにつぶやき続けるコーウィン。そうこうしていると、目的地のディスコに着いた。

お店の中はすでに超満員。例によって女の子が大勢店の中を歩き回っていた。客の男に呼び止められるのを待っているのである。

キョロキョロと辺りを見回していたコーウィン。前回来た時に横に座らせた女の子を呼び、ウェイターに飲み物を注文する。

「ねえ、その女の子とヤッちゃうの？」

「ええ。カモちゃんは？」

「や、僕はいいや。ここんところ体調良くないし、エイズになったりしたら子供作れないから」

何気なく言った言葉に、急にコーウィン「ハッ」とした顔になった。急に黙り込む彼。

「カモちゃん、その通りです。あー危なかった。やっぱり本当です。ブッダがいつも僕の事見てて助けてくれます」

「いやいや、悪いこと言っちゃった。ゴメン、ホテル行きなよ、コンドームつけてすれば平気だから」

「いいえ、ブッダがボクに言ったんです、まぐわうのはやめろって」

「ゴメンて。コンドームすればまず大丈夫だから」

「いいえ、今日はしません。でもカモちゃん、ボク、この女にセンズリしてもらう事にしました。これだけ暗いからここでいいです」

「えーっ、ここで？　ディスコのボックスでやっちゃうの。なんだよー、僕見えちゃうじゃないか」

「大丈夫、すぐ終わりますから」

と答えると、すぐに女の子に指示するコーウィン。間髪入れず女の子はロンジーの縛っている所を解き、股間をモゾモゾやっていた。

ジョーダンじゃない、ここはピンサロじゃなくてディスコなんだから……と思って目をそらすが、つい気になってコーウィンの方に目をやってしまう。……アレレ、もう終わっていた。一分たってないぞ、おい!!　涼しい顔をしてコーウィン、女の子にお金を払っていた。

しかし、その女の子、男汁を何で拭いたんだ？　おしぼりもティッシュも何も持ってなかったじゃないか。……そう思って見ていると、そーっとソファに手のひらをなすりつけていた。まいった。妙に店内が臭いと思っていたら、これだったのか。

帰りのタクシーの中、一つも口をきかなかったコーウィンが突然、

「おーっ、カモちゃーん、ボク他の女の人としちゃいました。どうしましょうかーっ」

「だっ、大丈夫。あれじゃした事になんかならないって」

「明日お寺に一緒に行ってくれませんか、この純金の時計、お寺に寄進しに行きます」

「だから、あれはやってないって、そこまで考える事ないって、それにその時計高そーじゃない」

「はい。千ドルしました……」

翌日、本当にコーウィンは、時計を寺にあげてしまった。十七年目にして初めての浮気、じゃなくてセンズリ。その代償が千ドル……。それ、やっぱりおかしいヨ。

コーウィンに〝ソーロー〟を教えなくては、と思った。

4

今日も日が暮れても電気がつかない。停電だ。お寺に入って五日目、五日連続で停電になってる。もっともこの寺での瞑想のスケジュールというのは朝の四時から夜の十一時となっているので、明かりが灯ろうが真っ暗であろうが、関係ないところなんだけれど、夕方以降、部屋でサボって本を読んだり原稿書きをしている僕にとっては何ともつらい。しょうがないのでローソクに火をつけてタバコを吸いながら本を読んだりしている。

本を読むなどとカッコをつけてはいるが、毎日読んでいる本というのが『東京ウマいラーメン屋さん百店』というヤツで、湯気のホンワリ立つラーメンの写真のアップが各店ごとに添えられているその本は、一日二食、それも早朝五時と午前十一時以降何も口にしないこの寺での生活の中で、とってもなまめかしい、悩ましい存在だった。美味そうなラーメンの写真を見ているだけで気が狂いそうになってくる。

つい先日この寺の偉い坊さんが、修行をしっかりと長年続けていれば二十四時間、つまり生きている間ずーっと瞑想の状態でいられるようになる、と教えてくれた。飯を食っている時も味覚はなくなり、食べ物を口に運ぶ、という動作がすなわち瞑想になるのだそうだ。その話を聞いていて、ジョーダンじゃない！　と思っていた。仏門に入ったからにはオナニーもしてはいけないと言われ、どーにも我慢出来なくなって一回だけこっそりとチンコをしごいたのだが、ものすごく後ろめたい気分だった。精力が強いんだか何だか判らないけれど、僕はセックスをした日でも必ず最低一日二回はオナニーをしなくてはならない体なのだ。三十四歳なんだけど……。

それを我慢し続けていて、やっぱりラーメンと一緒で気が狂いそうになったので、そう、つい昨日の事だ。「たった四日もオナニーすら我慢出来ないダメな僕……」という意に反して、僕のムスコは久しぶりに天を向いて、思いっきり男汁をはき出した。四日もしなかったのは何年ぶりかの事なので、濃かった。

瞑想をしなくてはいけない時間でも半分も瞑想せず、タバコはバカバカふかし、腹減ったとわめきながら大好物のラーメンの本を見入る。どーせ昨日やっちゃったんだ、堰を切ったように今までのペースでチンコをしごき出すんだろう、本当にダメな俺、たった一週間だけなのに、七日間だけなのに、我慢出来ない。してない事といったら酒を飲んでない事だけだ。それも誰かが僕をからかって酒をもし置いていったとしたら間違いなく飲むのだろう。

あと三日、イタズラに時間をうっちゃるしかないんだなぁ、なんて考えながら薄暗がりの中でローソクの火に飛び込んでいく羽虫達を眺めていると「ポク・ポク・ポク」と時間を知らせる大きな木魚の音が聞こえて来た。夜の八時を知らせている。そろそろコーウィンがやって来る時間だ。彼は毎日仕事が終わったあと、僕のために身の回りのものを買って来てくれていた。

そういえばコーウィン、僕がお寺に入るための儀式の時、この寺で一番偉い住職さんを目の当りにした途端緊張しきっちゃって日本語がメチャクチャになっちゃっていた。もともと正しい日本語のボキャブラリーが少ないうえに、僕との話というのがいつもスケベなものばかり、お寺の儀式に彼の通訳としての日本語が通用するかどうか、あやしいのは前から判っていた。

さらに偉い坊さんを前にして彼の頭は真っ白になっていたんじゃないだろうか。厳かな儀式なので必死になって堪えていたが、コーウィンのはちゃめちゃな日本語に、出来ることなら笑いころげ回りたかった。

その儀式であるが、パーリー語の教典を言われるがままに反復する事から始まり、仏門に入る資格があるかどうかの口頭での応答。そして、お坊さんとしての禁止事項と進んでいく。パーリー語の教典の時は、まだ良かった。それは単にコーウィンが訳せなかったからで、おかしくなっていったのは次からだった。

坊さんがまずビルマ語で何か話す。

「さーあ、カーモちゃん、ボク日本語にしますから、ガンバリマス。カーモちゃん、酒、毎日毎日たーくさん飲んだ事ありますか……」

「あるよ。ヤンゴンでもそうだったじゃない」

「……△○×！」

ビルマ語にするコーウィン。お坊さん達が驚いた顔をしている。

「カーモちゃん、僕、日本語、間違っちゃったのかなぁ、えーと英語でアルコホーリックですか」

「ああ、アル中ね、ホントーはなった事あるけど、いいえ」

「そう、それでいいです」

次の質問に変える。

「はい次です。カーモちゃんは体の中と背中に赤くて黄色くてブツブツしたのがあって頭の中がチカチカ光りますか」

「……判らん、何言ってるんだ」

「だから赤くて黄色くてチカチカ光って……」

「何だそれ、キノコ食べてるんじゃないんだから判んねーよ。何言ってんだか。アハハー、もーう、こーなったらしょーがない、テキトーに日本語言ってよ、で、最後に、ハイかイイエの答え一緒に言ってよ、どーせ坊さん日本語判らないからそれのほうが早いよ。さっきから正座しっぱなしで痛くてしょうがないから。ね、そーしようよ。で、今の答えはまず間違いなくイイエ、でいいんでしょ」

「その通りです」

しかし、赤くて黄色のブツブツと頭の中が光るって何なのだろう。まあ恐らく何かの病気なんだろうけれど……、判らない。

「さーて次です。サカキバライクエ、ナツキマリ、ダンフミ、僕の大好きな日本の女。いいえ」

「……そんないいかげんになっちゃっていいの？」

「いいです、ほら、いいえです」

「……いいえ」

それからもいくつか質問されてどーにかこの寺に入ることを許された僕。最後に坊さんとしてやってはいけないことを告げられる。

飲酒、セックス、正午以降の食事などであった。最後にまたコーウィンが全く訳の判らないことを言い出した。

「さー、カーモちゃん、最後です。カーモちゃんこれもしてはいけませんゼッタイに。五フィート以上高く飛んじゃいけません、判りますか」

「何それ、えっ、えーとー五フィートっていうと百五十センチじゃないか。そんなにジャンプできる訳ないじゃん、それに何だよ、その五フィート飛ぶなっていうの、さっぱり判らないよ……」

「ええ、僕も判りません。でもお坊さんは確かに言いました、五フィート以上飛ぶなって…」

今思い出してもさっぱり判らない。でももし驚異的なジャンプ力を持った坊さんがいたとする、そいつが戒律をやぶってこの赤茶色の袈裟を身にまとったままNBAのハーフタイムショーに出て来て、おもむろにダンクシュートを放ったりしたらと想像すると、見てみたい、と思う。

軽いノックのあと、コーウィンが部屋に入って来た。今日は辺見マリ似の奥さんも一緒だった。

「やあ、コーウィン、毎日どうもありがとう」

イスに座ったままの僕に対して、無言のまま跪《ひざまず》いて僕のつま先に触れるほどの近さでお坊さんである僕に対して拝礼するコーウィンと奥さん。

「なぁ、コーウィン。頼むからそれ、やめてよー。こそばゆいよ、ねっ、お願い」

「テンマービィヤ」

これは判りましたの意味。でも特別な言葉で、お坊さんに対してのもの。普通の人間同士だと、ミャンマー語では「ホーケィ」と言う。

「だからテンマービィヤもやめてよ。僕はテンポラリーの坊主なんだからさ」

「いいえ、今はカーモちゃんではなくて、ピーニャソータなんですから。お坊さんですから」

と言って跪いたまま両手を胸のところで合わせている。

「ねぇホント、やめて。じゃコーウィン、ホントーの事言います。僕タバコ吸ってます」

「テンマービィヤ、少しならいいです」

「それに昨日コーウィン帰ったあと、すぐオナニーしちゃったんだよ」

「テッ、……テンマービィヤ、今のは聞かなかったことにします」

「いや、だからさ、ここは僕の部屋で誰も見てないんだから、フツーに話そうよ。ねっ、頼むから」

「テンマービィヤ、僕はブッタに見られています。いつも。だからこれでいいんです。それに僕はお坊さんになろうと考えたカーモちゃんを偉いと思います。だからこれでいいんです」

「だから偉くなんかないんだって、雑誌の企画ものなんだから、それでお金もらうんだからちーっとも偉くなんかないの。それに仏門に入る儀式の時だって、ふざけてたじゃない。高田馬場だの夏木マリだのさ。悪いよ、コーウィンに跪かせちゃったりして。嫌だよ、俺は」

「今日は奥さんが、カーモちゃん、いいえ、ピーニャソータからお言葉をいただきに上がりました。何か良い話、してあげてください」

「だからさ、俺は俺なの。何も話す事なんてないの」

何やら奥さんに通訳しているコーウィン。

「ありがとうございました。威張らない事、と訳してやりました」

まいった。ここまで真摯な仏教心。どーすればいいんだ。あぁ、そうだこれを二人に言ってやれ！

「まず、コーウィン。初めは奥さんに訳さないでください。いいですかコーウィン、あなたは真面目でいい人です。まぐわう時奥さんにクンニを必ずしなさい。そしてマグロを治してあげなさい。愛人を作るのをやめなさい」

「アッハハ、テンマービィヤありがとうございます」

と言って笑いながら拝礼するコーウィン。

「さて、二人に言います。赤ちゃんを作りなさい。いいですか。きっと立派な男の子が生まれますよ」

訳すコーウィン。奥さんははずかしいのか顔を赤らめた。

「ねっ、もういいでしょ。あと三日で僕、人間にもどるから。そしたらまた一緒にビール飲んでください。でもあのディスコ、もう嫌だから。男汁臭くってしょうがないからさ」

「ホーケイ、カーモちゃん。待ってます。それに家帰ったらすぐにクンニして赤ちゃん作ります」

この間、コーウィンと電話で話をした。

「奥さんはマグロではありませんでした」

と言っていた。

一年後、玉のような娘が産まれた。

西原理恵子

はじめましてコップン鴨志田です。
性格は短気 日の半分はお酒を飲んで
お酒に飲まれています。
にぇ
にぇ
ちんこいじってる
鴨くん 今日は昼から煮えています。
ふと秋の午後の日ざしが顔にかかり
オレ何か悪い事してるようっ
おれ白洲にいるようっ
ねえねえオレ今何？
まぶしいだけでフラッシュバックおこすなー
神様っぼくはここにっ
白い白い
ゆすらかです、ぼくの心は
まるでカミュの異邦人をみるような感動的なシーンであるが
おまえの目の前にいるのは神ではなくもっと悪いものだ。

いやもう先生テンパイ
離婚だあー
今度こそ本当の本当だっ
出ていけえー
こっっ
たー
にー
えー
鴨と一緒になった時、彼の親分が私の両手をにぎって言いました。
別れないでやって下さいねえ
犬を
犬を飼ったと思えば腹も立たない。
箱に入れて遠くに捨ててしまいました。
現在彼はメコン川に流されてー
くぅー
くぅー
誰かよい人にひろわれるか、うまく野生化してくれるとよいのですがー

いってらっさい
鴨志田君 今からハッテン場サウナの突撃取材にゆく。
じゃあこれ着て
もう油汗
んーんー
なになに
前に私が酔っぱらって二丁目で買いました。
ひもぱん（ブラック）
食べていいのよ
デコきっ デコを殴る事ないじゃあないかっ
何事も気は心ってはじめがカンジンて事でそんな私の気くばりを何
真の勇気がわーたっ 本当の事を言おうっ
今までの取材で一番コわーいっ オレ今超ビビってるうっ

ソフィーの選択
鴨は身長170センチ。ああ、あと5センチあれば、と、34にもなってつぶやく日々。
じゃあ身長5センチのびるけど
そのかわりちんこが2センチちぢむとしたらどうする？
見てくれ気にしてんだろ？身長。とれよ身長
何をそんなになやんで
うーんっ
ちんこは命なんだよおっ 命をけずる事だけは。ちんコだけは
じゃあちんこが大サービスで5センチものびる。
でも身長が3センチちぢむは？
夜中。
とくとく
やっぱり答えなんてワカらないボクにはこの問題

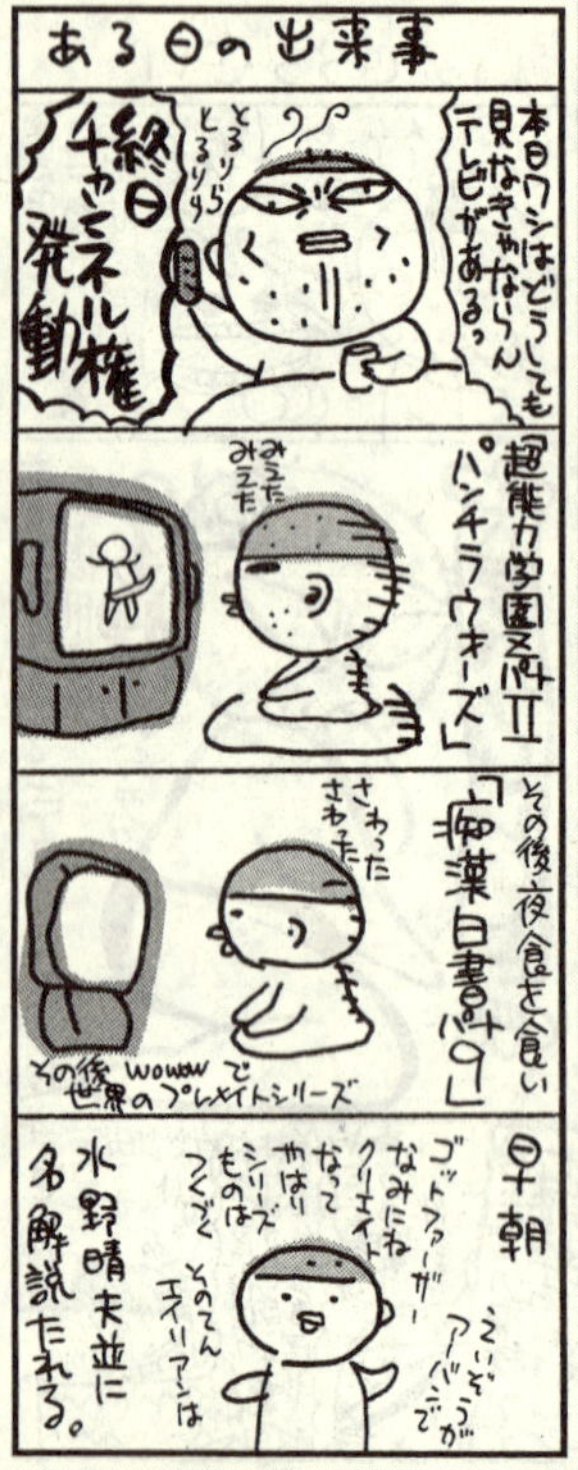
ある日の出来事
本日ワシはどうしても見なきゃならんテレビがある。
終日チャンネル権発動
とろりらとろりら
「超能力学園Zパート II パンチラウォーズ」
みえたみえた
その後夜食を食い「痴漢白書パート9」
さわったさわった
その後 WOWOWで世界のプレイメイトシリーズ
早朝
ゴッドファーザーなみにねクリエイトなってやはりシリーズものはつくづく
そのてんエイリアンは
えいぞうがアーバンで
水野晴夫並に名解説たれる。

里帰りの日々
今回鴨は私の実家で原稿をかいた。
兄の娘です
おっちゃん大人やのに宿題あるのー
わかった大人やのに子供なんや
はいそうです毎日が子供で勉強で終りなく
翌日
宿題まだできてないのおー
だらしないねえいかん子や
うんぼくはだらしない生きてて本当に
おじさんまぶしくて顔を見られない
夜
あのねうちがなあしたはように起こしてあげる
早起きして宿題したらええやんか
うんうんありがとうこれできっとおじさん真ん中になれる。きっときっとやりなおせ
早朝 5:30
なんぼなおこしてもおきてくれん
このひとはいかんわいかんわ
どうせボクはもういかん
生きてて邪魔
三歳女児とのコミュニケーションが病
しくしく

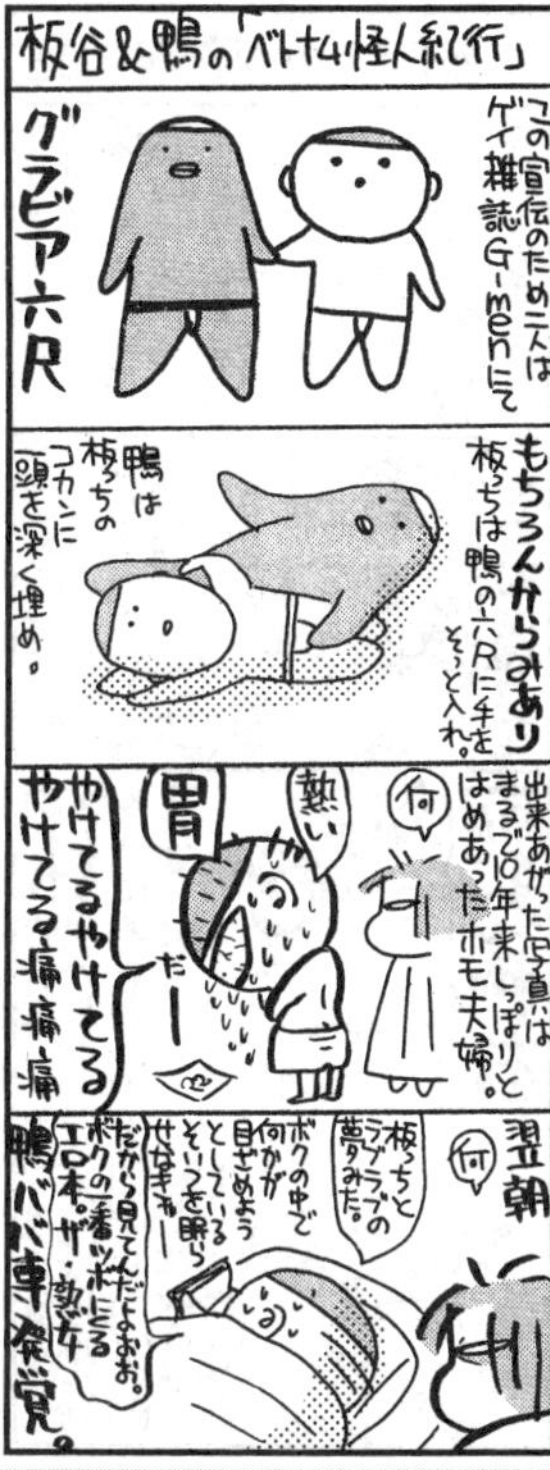
板谷&鴨の「ベトナム怪人紀行」
「この宣伝のためニスはゲイ雑誌G-menにて
グラビア六尺
もちろんからみあり
板っちは鴨の六尺に手をそっと入れ。
鴨は板っちのコカンに頭を深く埋め。
出来あがった写真はまるで10年来しっぽりとはめあったホモ夫婦。
何
熱い
胃
やけてるやけてる
やけてる痛痛痛
だー
翌朝
何
板っちとラブラブの夢みた。
ボクの中で何かが目ざめようとしているそいつを眠らせなきゃー
だから見てんだよぉおお。
ボクの一番ツボにくるエロ本。ザ・熟女
鴨バババ専発覚。

流れもの
私がまんがをかく時必ず必要なのは国語辞典、
どんな漢字でも必ず間違うのでなくてははじまらない。
なんでか考えごとしてると必ず耳の穴がかゆくなる
今ひっくりかかしてみると私の兄の名と、
何年使ってんだか
兄弟そろって勉強してないからえらい長持ち
私が六歳まで住んでた住所がかいてある。
ふと、となりをみると
鴨の辞典にも鴨の兄の名が、
ああああっ
耳かきすぎたよいてえよおおお
ひっ
なんと申しますかやはりバカ女のところにはバカ男がくるとゆう事で人生には夢はないとゆう事

わたくしのゆずれない道
インスタントラーメンはうまくなっている・今。
技術ってなんてスバラシイ
うまかっちゃん
特にコレ、小学生のころよく食したモノと全然味ちがう うまかラーメンうまかっちゃん。
ここで私のインスタントラーメン道
ナベにラーメンと同じ量のキャベツを。
しかもどのインスタントにも必ずかいてある掟
「スープはメンをほぐして火を止めてから入れて下さい」
無視。湯がわく前から全部入れ。
メンキャベツを煮こむ煮こむ
ざくざく
おじやのようなラーメンができる。そこにメシを入れすすり食いの
ごっ
死ねやあっ
お前に昔グルメ雑誌でヒハンされたフレンチの名門とか
考えただけでも気の毒で気の毒で
どうゆう事されてどうゆう育ち方をしたらそんなメシくえるんだよおおお
親兄弟にも怒られっぱなし
小学三年の時発明したの大発明なの。
ぐちゃぐちゃ

がんばれ 免許まであと一歩
練馬教習所でおべんきょしてる時、練馬でキロク的な大雨。
20メートル先にカミナリおちる。
どがーん
ばりばりッ
うぎゃ
そのままうちまで三時間かけて歩いて帰ってきた。
なんかいい年して免許べんきょうがよっぽどつらいらしく自分に罰のようなものをあたえているらしい。
どがん
ゴゴゴ
ざざざ
人生は修業なんだもん。
がんばるんだあ！
あしたはいよいよしけんだあ、
みそぎはおわった。
試験の朝トイレをあけると実父大便中。
しんのうさ50センチ先で目撃。
どなりちらして再入室するも流してない。
おれのために死んでくれよ
てめえなんざ
500匹の黒猫よかえんぎわりい
生んで悪かったな
その日鴨くんいい年して試験おちる。
彼の罰と修業はつづく。

鴨、今、インド
10年ぶりに来たインド ガンジス川の水を飲む鴨
ごっくん
そのシュンカン ものすごくヤバイ味が
大丈夫鴨っちー
おなかぴーぴーするよ ダメだよ
フツーの川の味だあー
大丈夫だあ 板っちの弱虫毛虫
一日三十回のトイレがかかせない体に。
それが三十五日間つづく。
一回さかだちしたらあきらかな腸汁がクチから出たって。
板っちもフツーにしてて10キロやせたって
二人共また老後故はつづく。

小津風りんごをむいた日
広末涼子は なぜ大学に行かないんだ
なあ
かあさんや
しゃりしゃり
しゃり
古いの
ズレてるの おとうさんの話題
だったら一言なんか言ってくれないと
しゃり
しゃりしゃり
岸恵子はおフランス男の白い犬山椒魚がたまらんのかなあっ
一言ゆってくれるまでしゃりしゃり続けてやるっ
おとうさん 岸恵子とソフィアローレンどっちが好き
ソファアローレン
しゃ
リンゴおくれよう さっきから待ってんだよう
ない

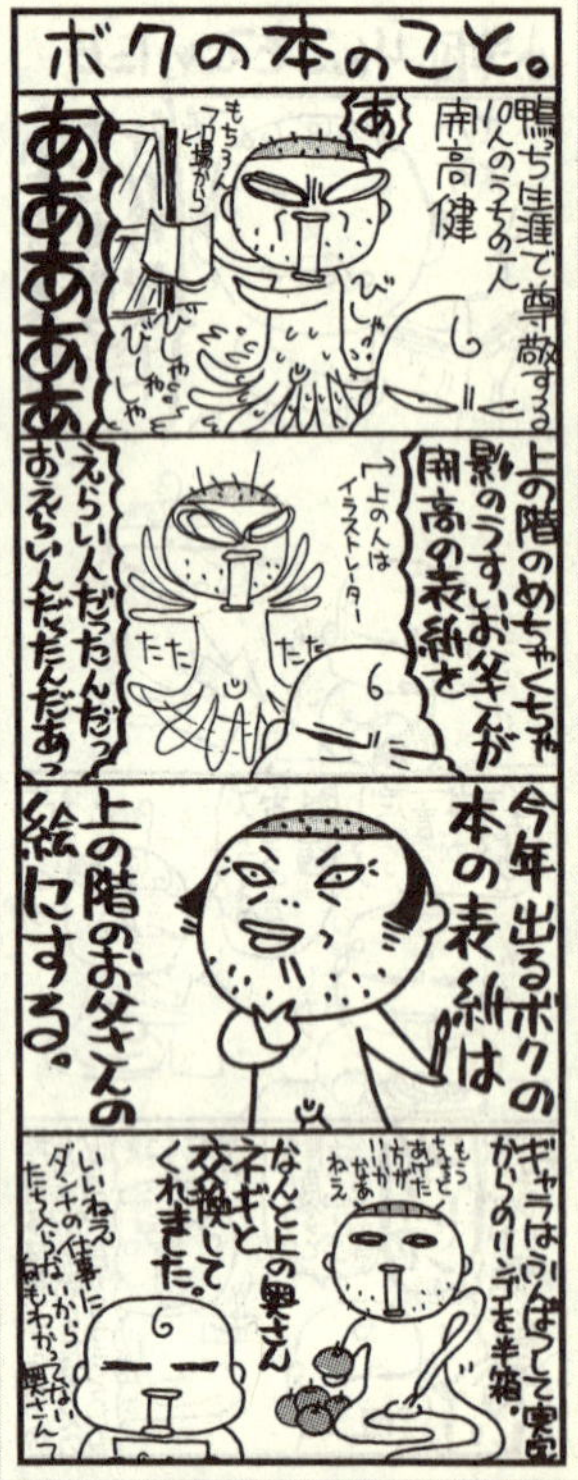
ボクの本のこと。
鴨ち生涯で尊敬する10人のうちの一人
開高健
あ
もちろんフロ場から
びしょ
びしゃびしゃびしゃ
ああああああ
上の階のめちゃくちゃ影のうすいお父さんが開高の表紙を
上の人はイラストレーター
たた
たた
えらい人だったんだっ
おえらい人だったんだあっ
今年出るボクの本の表紙は
上の階のお父さんの絵にする。
ギャラは引っぱって実家からのリンゴを半箱。
もうちょっとあげたかったなあ
ねえ
なんと上の奥さんネギと交換してくれました。
いいねえ
ダイチの仕事に

なんかマブでくらべました。
この本をつくってる酒井君て男は、理美容学校出身のパチプロくずれ
てんけい的都会のゴミ若者
この業界に入るきっかけが景品交換所でしゃがんでてスカウト
女にもスルドクだらしなくて私の知ってるだけでも8人くらいだらだら食いちらかしの
なんかバイクのってんのホンダの中型スポーツタイプ
ボクは風だよ
おちてるのは10年後
今年35にもなるのにまだクラブかよってるし
かみの毛キンパツだし
酒井君とボクとどっちが男として
ボクムナゲあるよ
目がマジ
大人？
北海道で三本の指に入るバカ高出て浪人のフリしてプー
歌舞伎町で職を点々として
その間 客の中年おばちゃんに食いちらかされてタイでぼうず。
酒井くん
なんでえええええ
ちー
マイナス10点。

パチスロのパの字も知らない父さんが言う。
ところでお父さんパチスロ王で新連載をやろうと思うんだ。
タイトルはね
おやじ打ちで100万ためる。
たまるか
おまえパチスロをなめるにもほどが
おまえが100万たまったらこの本がいりねんだよ
じゃあおやじ打ちで50万円ためるってのは
鴨ちゃんみたいない
パチスロをなめる子はボギのちんプコもなめなさーい
かかかか
ほうらうら立川一番バカのりたっちにもおこらえた。
編集長酒井くんさあ「毎月五万以上負けないパチスロおやじ打ち」ってゆうのはどうかなあ
西原さん次の麻雀の場所さあ
もじもじ
すたたたたた
酒井くん無視きするのだけはやめてあげて。せめてしかってあげて人として

日々まんが
鴨志田くん大手の出版社で「●チガイに刃物」とゆう表現がとうらなくて、（あたりまえといえば あたり前）
すいかに塩じゃ
ダメかしら
別な表現を考えてるさいちゅう
痔にはボラギノール
次のなおしは「ま●こ」これなんか何でダメなの 他に表現ないじゃんねえかあさん
なんとゆうか教養のないとゆう事のすごさをちょと感動させられる。

パチスロのパの字も知らない鴨っちがゆく。
せっかくパチスロ本で連載してるんだし
勝手に連載しちゃえ
鴨志田穣の「毎月五万円以上負けないおやじ塾」。
打たない。
犯しちゃっていいかなあ。
ずる
編集長としてしめしをつけないと。
それは仕方ないけど酒井くんは20代のころから何でもちんこでケリをつけるクセなおってないのね
いつか女に刺されるよ。
らあああ かあさん助けてかあさーん
酒井くんは若いころ人妻にベランダから突きおとされて左足のサラを割ってるの そこが弱点よ
せめなさーい。
パチスロ王がつぶれる時 原因は鉄板で女

この人はどこへゆくんだろう。
白夜書房時代は受付嬢3人とはめました。
同僚とは2人。
みんなやり逃げです。
うわあ それで それで?
今は人妻 これがなかなか
深夜我が家にきて、えんえん「俺の空」語りする編集長酒井。
楽しいのか酒井 こっちは大迷惑だ
ねえねえ乱交ってしたことある?
あるよ! 50人でしたよ!
運動会かコラ
50人で何やってんだ組体操か
場所は荒川のカセンジキか
ルーキー酒井はしょせん理美容卒。
うかしグセあり。

バッチこい夫婦
我家は今どき雪印牛乳を宅配でとっている。
ある日ふと牛乳箱をみてみると三日前からのとり忘れ牛乳が
おおどうしましょ
にょ
うふふふきてみろ
ぐびぐびき
酸菌
夫婦で900mℓ一気のみ
おかあちゃんも黄色ブドウ球菌
ごぶごぶごぶ
ヘイバッチコイや
翌日、日ごろ便秘ぎみの私が快便。
やったぁオレの勝ち
日ごろゲリぎみの鴨が便秘。

四季のうつろい
ふと夕方
くぅくぅくぅ
なんでおちないんだろ
ダイニングチェアーの上で夕飯を待ちながら上手にいねむり。
夜中
女囚モノ映画にはまったまま気絶
のまま朝
ぐうぐう
なんでおちないんだよ
なんで
とある朝
おちたシセイのままジュクスイ。
アスファルトの上の昆虫の死がいを思わせ秋を感じました。
今、目の前で。
フトンはかけないの めんどくさいから

編集長 酒井の涙。
どしたの?
ボクは今日みんなの
しくしくしくしく
ボーナス三百万円をここに持っています。
ねえ西原さん。
なんでこのせたボーナスなんか
あるんでしょうか。
そうよねえボスニアとかの人達の事考えてんのかしら
給料とボーナス二つ共ほしがるなんて
ボカァもう人間と信じられない
そーよ大きいコブラと小さいコブラ両方取っちゃうんですもの今に神罰がくだるわきっとよ
白夜書房社長の名言「なんで原稿料なんか払うの?」
バックレちゃえば
そーすよね知らんかおしてればケッコーみんな気づかないかも
酒井精進しようともしませんは白夜あかり。
心の夜、消えず。

めおと小さい。
鴨は今、出身地、北海道新聞で連載したがってる
何で
地元で有名になれるじゃん
あっあの鴨ちゃんだって
そんでススキノだってブイブイあるけて
シンブンでレンサイの鴨だぜ
おスシ屋にすわったら
シンブンの鴨さんだ
ないしょでいいネタをにぎってあげよう
なんて小さい男なのかしら
きっと本マグロのトロが半額くらいで
うっとり
先生この高知新聞で何ですか
受けちゃった
田舎で有名になったらおスシとかいいのごちそうしてもらえると思って
小さいとさげすんで先生の事を
先生、ボーイがひざまずく飲み屋行った時、態度デカくなってましたもんねえ
今月の〆切

第5話
煮え煮えのインド

1

明日からインドへ、例のゲッツ板谷君と取材旅行へ出なくてはならない。実は東京を二日前に出ており、今はバンコクのマンションで原稿を書いている。で、こちらはとても暑いので、今回の原稿はこれでおしまい……。

とは出来ないところが残念だ。

起き抜けにビールを飲めないー。雑誌『さぶ』の原稿の事が気にかかって大好きなオナニーすら出来ないでいる。それっぽちの事で立ちが悪くなっちゃった。そーゆー歳になったんだな、と寂しくなる。

バカヤロウ。ところで、ここんとこ日本での仕事が忙しくってバンコクのこの僕のマンションに今回来る事が出来たのは、なんと丸一年ぶりであった。

今度の取材旅行には、ゲッツ、それに僕はもちろんだが、奴の子分的な男が二人同行する事になって全部で四人で行動する。

ちなみに何でそんな男どもを連れて来たかと言うと、今回の旅行はインド。今まで書いて来た紀行文はタイ、ベトナム。この二国は僕の守備範囲で色々なネタを持っていたから、そのネタを追っかければよかった。しかし、今回ばかりはあんまりにもデカイ国。何が何だかさっぱり判らん。

という事で、この二人（ちなみにあだ名はハックとナベちゃん↑ちんこデカし）に散々ズッコケてもらおうと、まあ僕ら二人以外の新キャラクター登場ってところだろうか。そんな意味合いで連れて来た。

この久しぶりの僕のマンション。実は一抹の不安があった。

一年も自分の家を空けっぱなしにした事って、ありますか？　もし、その経験のある人だったら判ると思うけど、色々と不安になりますよね。

だから僕はこのマンションの管理会社に各公共料金、日本に帰る前にはある程度前金で払って出て来る事にしていた。しかし昨年の帰国の際、バタバタしていてその事をすっかり忘れてしまったのだ。

全員のバンコクでのホテル代なんぞもったいないので、とーぜん四人は僕の部屋でザコ寝してもらう事にした。一応、「一年ぶりなので、不測の事態が起こるかも知れないよ」とは伝えておいた。

僕自身も自分の部屋がどーなってるのか、とドキドキしながらマンションへと向かった。

祈るような気持ちで部屋のドアを開ける。一年間閉めっぱなしの部屋はひっそりと静まり返っていた。少しばかりカビ臭かった。

電気をつけようとスイッチを押す。……つかない。

後ろで「カモちゃん、お願い」と板谷君がつぶやく。

「俺にお願いって言われても……」と言いながらブレーカーが取りつけられている非常口のエントランスをのぞいてみる。……ない。あるはずのブレーカーが、ない。

色々な事を考え出すと急に大粒の汗が体中から出て来た。電気がないって事はこれから夜にかけて真っ暗。エアコンは動かない、冷蔵庫はただのハコ。まいった。やられた。水道は、と思って水をひねる。……出ない……。出るはずの水が、出ない。という事は風呂に入れない。

「まっ、とりあえず床はほこりだらけですから、ゾーキンがけでもしましょうよ。

ね、カモシダさん」

　デカちんナベちゃんが気を利かせてそんなことを言ってくれた。それでも今夜の苦行の事を考えると、そんな気分にはなれず、僕と板谷君はその場にヘタれ込んだままだった。

「ほら、ハックもぼーっとしないで、今日ここに泊めてくれるんだから、手伝えよ」

　なんて涙ぐましいことを言ってくれるナベちゃん。

　セカセカとモップがけを始めるナベちゃん。体を動かせばやはりかなり暑苦しいのだろう、見苦しい黒ブリーフひとつでモップがけをしているナベちゃんの後ろ姿を見ながら、心の中で「申し訳ない」と何度もあやまった。

　と、突然「いってー、いててて」とモップを放り出してケンケンするナベちゃん。

「足が、あーあ足の指が、なーにやってんだろ、俺は、あー足の指が！」と言いながらダンゴ虫のように丸まって背中をふるわせながら痛がるナベちゃん。人の痛みに全く興味のない僕は、

「おーげさだなあ、ナベちゃんは。何？　どーしたのさ、見せてみな」

　なんて平気な声を出しながら、痛みで足の親指をギュッと握っているナベちゃんの

手をどけてみる。他の奴らも見に来て「うわーっ」と声がそろった。ナベちゃんの親指の爪がパックリと口を開けていて、剥がれかかっていた。

それを見て板谷君は腹を抱えて大笑いを始めた。

「なんでナベちゃんて人のために何かしようとするとすぐ大ケガしちゃうんだろー、あー全くハラ痛え」

板谷君から聞くところによると、ナベちゃんとは以前三年ほど一緒に仕事をしていて、奴は撮影の仕事をしていたらしいが、無理な場所での撮影をお願いしても絶対断らず、その結果、車に轢かれたり崖っぷちから落っこちたり、サソリにかまれたりしたのだそうだ。

人には人の運命というのが必ずあるんだなぁ、なんて一人考えながらナベちゃんを見ていると、事もあろうか、何故だかナベちゃんのビキニブリーフの前がいやにモッコリしており、奴が痛みで体をよじった拍子ににわとりの卵ぐらいの亀頭がニュッと飛び出した。

ははーん、なるほど。人には人の性癖があるんだなーと、また一つ頭が良くなった。という事は、ナベちゃんは僕らの前でわざと生づめを剥がした可能性もあるので可哀そうに思うのはやめにした。

痛みでボッキするのは本人の勝手だが、これから事もあろうにインドに行かなくてはならない。指が、腐り落ちたなんて事になったらシャレにならない、責任者は僕なんだから。

ナベちゃんの生爪の話は次回で詳しく書くことにする。

ところで、こんなに暑くては寝るにも寝られないという事で、みんなして今日はとことん酔ってその勢いで寝ちまおう、という事になった。ナベちゃんも痛みが消えるまで酔えばいいだろう。

日本食屋での、いいちこ三本から始まって、なじみのバーでスコッチボトル一本。その後、ゴーゴーバーを六軒ハシゴして何も判らなくなって、帰る途中コンビニでサンティップというタイの安ウィスキーを買って、真っ暗い部屋の中で懐中電灯の光だけで飲み直す。全員何だか違う生き物になっていた。一番年下のハック（二十四歳）だけは、車座になって飲んでいる僕らの横でぶっ倒れ、息絶えていた。

暑さのせいで窓を開けっぱなしにして酒を飲んでいると、いつの間にか入って来た大量の蚊がハックの体にまとわりつき、おいしそうに血を吸っていた。

「かゆい、かゆい」とのたうち回りながらも起き上がれないハック。可哀そうだったので殺虫剤をまんべんなく体に吹きつけてあげると、蚊は一匹も残らずに死に絶え、液でネロネロになりながらもハックはすやすやと赤ちゃんのように眠りに落ちた。いつの間にやら僕らもその場で気絶していた。

2

今、インドのゴアにいる。

やっとベストシーズンに入った、と教えられたが、僕たちのいるゴアから距離にして三キロもないアンジュナビーチというところには、日に日に人の数が増えて来ている。

長い雨季が終わってさほど暑くもなく、毎日晴れやかなんだとか。もう一つの〝ベスト〟というのが、実はあるらしい。刈り取ったばかりの新鮮なハッパが出回る時期のことを言うようだ。

僕は仕事もふくめて、もう何度もインドへは来ているのだけれど、何かのきっかけでインドの話を誰かとしていると、それもバックパック一つでこの辺りをうろついた奴らと話をすると、口をそろえて「ゴアはいいですヨー」と、のたまう。奴らの、話しながらも落ち着きのない素振りを見ていると、その先に、ドラッグ、そう〝ハッパちゃん〟〝チョコ〟の姿が見え隠れしているのがよく判る。

というのも、僕の初めての海外旅行というのも今から十四年ほど前のインドで、その中の目的の一つには、思う存分ハッパを吸ってみたい、というのがあった。まあ、そこで僕は大バカだからヘロインに手を出して、数ヵ月にわたって吸い続け、やめるのにえらく苦しんだ経験を持っているので、僕は同じ仲間の出すニオイをつい感じとってしまう。

しかし、だ。僕の思いからすると、インドではそっちのものが手に入らない町はどこにもないし、何でそんなに特別に〝ゴア〟と口々に言うんだろうか。

という事で、今僕はゴアにいる。当然毎日キメてみた。お薬の方は一生やらないと決めていたので、ハシシとハッパをキメてみた。でもやっぱり「ゴアはいいですヨー」と言っていた奴ら、目をうっとりとさせて遠くを見つめるような眼差しになって、その一言を言うだけで想い出にふけることが出来るほど感じ入っている奴らが言うほどに、よい場所だろうか。そうは感じられずじまいだった。

もう明日にはこのビーチからおさらばしなくてはいけないのに、何がそんなに若い奴らを惹きつけるのだろうか。僕にはさっぱり判らないままなんだろう。何だか仲間外れにされたような気分になっている。

何でも、日本では〝ゴア系〟とか呼ばれるテクノミュージックがひそかな人気を呼んでいるとか。どんなものだか全く想像もつかないまま、そのゴア系ミュージックのパーティーが昨晩あったので行ってみた。

夜通し行なわれるパーティーだということなので、僕たちはたっぷりと昼寝をとってから夜中の二時頃、会場となっているちょっと離れた場所にある小高い丘へと歩いて行くと、遠くにいてもものすごい音が響いて聞こえてきた。

ゴアでのゲストハウスでも、僕たち四人はずーっと同じ部屋で生活していたので、ハックは疲れたと言ってパーティー行きを辞退した。きっと久しぶりに一人きりになって王様のような豪華なオナニーを満喫するんだろう。まあ二十四歳だ。でもってパーティーでナンパが出来るとは全く思っていないんだろう。下半身を優先するのは仕方ないことだ。

そう言えば、足の生爪を剝がしたデカちんナベちゃんは、ここゴアに来て、奇跡的な回復を見せていて、また痛みを喜ぶヘンなクセを見せていた。

よっぽどゴアに来られた事が嬉しいのか、どうしたものか、着いたその日の晩には全然治ってもいないその指の爪を引きちぎっては「痛い、痛い」と言いながら、血を流し、涙を流し、うっとりと悶え苦しんで股間をふくらませていた。

次の日になって案の定傷口が悪化して来たら、浜辺へ走って行って海の水で洗っていた。やっぱり「しみる、しみる」と言いながら、悶え苦しみ、体をよじってはうっとりとしていた。

しかし彼のすごいところは、そのまま海から上がって素足のまま浜辺を走って、ゲストハウスにもどる途中、誤って思いっきり牛のフンに足を突っ込んだ事だった。その時ばかりは彼もさすがに失神しそうになっていた。その光景を見ていて僕は、ナベちゃんの体中から〝ドクン、ドクン〟と大きな脈打つ音を聞いたような気がした。それを見ていたゲッツ板谷、「判らない男だなあ」と一言つぶやいた。

さて、パーティー会場。やはり先頭をきって闇の中へ走っていくナベちゃんを追いかける事、約十分。ようやくものすごい音量に包まれる。いったい何がゴアのいいところなのかを知るいいチャンスだ。

さっそく作っておいた一本を三人で回し喫みする。効き目をたしかめつつ、まるでオープンテラスディスコのようになっている場所に目を凝らすと、意外にもインド人の若いカップルが目についた。もちろん外人連中も狂ったように踊っている。

しかし、困ったものでキマッてくればくるほど、その音の大きさが不愉快になってきて仕方がなかった。まるで頭蓋骨をパカッと開けられて脳ミソを直接鋭い刃物で傷つけられているような気になって仕方がないのだ。

ある時はグサッと突き刺されてるような、時には刃物でねぶられるような……、たまったもんじゃなかった。横を見るとナベちゃんは完璧にキマッたのか、ムーミンに出てくるニョロニョロみたいにおかしな動きをしていて、ゲッツ板谷は「生まれ変わったらダンサーになりたい」という言葉通りに百キロの巨体で見事なステップを踏んでいた。

どうして僕はこういうところが苦手なんだろう。また仲間外れにされたみたいでやっぱり何だか寂しかった。

二人がノッていくのを尻目に僕はビールを頼み、地べたに座り込んでボーッとしていると、僕には何が何だかさっぱり理解できないまま時間をうっちゃるしかなかった。数人の日本人の若い奴らもちらほら見える。体中がイキイキとしているのが手に取るように判る。いったい何でこんなにも僕と彼らにギャップがあるんだろうか。何も感じない体になってしまったのか、と思うと腹の底から恐怖を感じた。

「カモちゃん、そんなところに座ってないで行くべヨ」

気がつくとゲッツ板谷が僕の耳元で大声で呼んでいた。

「カモシダさーん、僕なんか体が自然に動いちゃって大変ですよ」

ナベちゃんはすでにニョロニョロどころか見る人が見れば薄気味悪いあのダンシングベイビーのように大きく腰をクネクネさせている。

「板谷君よお、君はどうしてそうもノリノリになれるだよ、俺はちっとも……」

と言うと、手で僕の言葉をさえぎりゲッツは、

「まあ、いいじゃないか。こういうところなんだから」と言って、ナベちゃんと二人でまた踊りの中へ入って行った。その横顔はいい大人の顔だった。

それからしばらくしてナベちゃんが突然何か呼んだかと思うと、その場へしゃがみ込んでしまった。何だ、今度は何をやらかしたんだ。と思って見ていると、ゲッツに抱えられるようにして僕のところまでフラフラになりながら歩いてくるナベちゃん。

「バッ、バッドトリップです」

一言言い放ったかと思うとそこで気絶してしまった。本当にこの男は突然思いもよらない事をしてくれる。看病どころかゲッツと二人して笑いころげる。

一時間しても元にもどらず、どーしようもないナベちゃん。めんどーになったのでそのまま放っておいてゲッツと二人でゲストハウスに帰ることにした。コオロギの鳴き声のするあぜ道を歩きながら暗がりの中、ゲッツが初めて思っている事を口にした。

「カモちゃん、あいつらにとってこのゴアとドラッグはさあ、俺にしてみれば十六ん時のシンナーなんだよな。しょうがないんだけど俺はもうやだね、それより今の日本の生活の方がやりたい事がいっぱいだし。たいしたところじゃないな、ここ」

彼の言葉で気づいた。俺もヘロインで一つカーテンを引いていたんだ、と。

朝、どこでどうなっちゃったんだかナベちゃんが泥だらけのボロボロになって僕らの部屋まで帰ってきた。

「二人ともひどいですヨー、置いてくなんて。気づいたら僕ひとりぼっちじゃないですか。それに体中こんなになってるし、本当ひどいですヨー」

泣いていた。泣きながら体中から喜びがあふれ返っていた。

ゴアのことはさっぱり判らなかった。でも僕にはいらない場所だという事だけははっきりした。

そしてデカちんナベちゃんは完璧なマゾだという事にも気がついた。

小さい収穫だった。

3

「疲れた」

全員の顔が叫んでいる。

二十時間以上も列車に揺られて、やっとバラナシの駅に着いた時には、みんな泣き出しそうな顔になっていた。

僕やナベちゃん、ハックはデブじゃないので、見た目にはそれほど痩せたようには見えないが、すでに僕はベルトの穴が二つ手前になっている。

旅は三週間目に入ったが、全員それほどひどい病気にはなっていないのに、どーしてこうも消耗が激しいんだろうか、インドってところは。

ガンジス河沿いの安宿の窓のない部屋で、僕たちは徐々に無口になり、弱って来ている。

しかし、体重が三ケタのゲッツ板谷の痩せゆく姿を見ているのは楽しかった。あれだけムッチムチに体中を覆いつくしていた脂肪が、だんだんと下に垂れてきて、背中から見るとワキについていた脂がまず先に消えていき、腹まわりが少しずつ小さくなって来ている。何せ百キロ以上の体だから、肉の落ち方も豪快なもので判りやすくて良い。

肌も何となくパサパサして来ていて、今じゃ〝天使の枕〟もキレイさっぱり消えてなくなっている。

ベッドに横になっている奴の姿をそっと見てみると、使い終わったコンドームのように、弱々しく、意志のないままそこに置かれっぱなしになっている。そんな感じになっていた。

大体年に二回、ゲッツとは取材旅行に出かけているのだが、その度に奴は平気で十五キロは痩せて帰国する。

キツイ取材で削ぎ落とされ、少しはマシになった自分の体を鏡に映しては、

「カモちゃん、俺、日本帰っても体を鍛えるよ。ガンバって体を動かしてさ、体重落としたまま次の取材に備えとくよ」

やったためしがない。半年後、成田を出発する時には、また百キロをオーバーしている。

もうこれを四回くり返している。これは世の中で言うところの、年頃の娘が夏が来る度にくり返す無理なダイエット法と全く同じで、後からリバウンドというのがやって来て、元にもどる。きっとゲッツの体をまっ二つに切ってみると、断面はベーコンか、はたまたきれいな霜降り肉になっているんだろう。

「オレのおかげで、お前の体はもう元にもどらなくなっちまったぜ、グヘヘッ」

ゲッツの顔を見ながら、心の中でつぶやいてしまった。

前にチラッと書いたが、僕はその昔インドでヘロイン漬けになった事があった。

実は今いるここバラナシでそうなった。

自転車リキシャーのジャンキーに、誘われるままについて行った。まる一日吸い続けてしまえば中毒になるのは全くカンタンな事で、それからビザが切れるギリギリまでキメていた。

こんなゴミだめのような恐ろしくきたならしい町で、僕は目が覚めている間中、とにかく一日中吸いまくっていた。メシを食わず、酒も飲まず、ただひたすらに吸っていた。

人の記憶というのは曖昧なもので、実際十四年ぶりにこの町に来るまでは、何となくではあるけれど、曖昧ながらも地図を見ないで町を歩き回れるつもりでいた。リキシャーのジャンキーの家にも行けるし、どの反物屋でヘロインを売っていたかも覚えているつもりだった。

しかし、いざ駅に降りてみると、全く違う町を見るように、すべて忘れている事を思い知らされた。

情けない。ヘロインをキメていただけで、この町のことは何も思い出せなかった。

アヘンを精製した〝ブラウンシュガー〟と言われている奴。それを毎日この町の何処かでせっせと吸っては、深い眠りに入り、目が覚めた時、必ず感じる何とも言えない強い充実した気分。

何にも替えがたい経験だった。

「板谷君よぉ。オレ何もかも忘れちまったみてーだよ」

「そんだけ強力だったんだよ、ヘロインが」

「でもさ、新島でシンナーやってた時のこと覚えてるんだろ」

「ああ鮮明にな。いいところだったよ。海も青くってさぁ。でもカモちゃんよぉ、なんでこんなドブ川の町でそんな事やる気になったんだよ。ゴアならまだ判るけどな」

奴の言う通りだ。別にどーしてもこの町でしなくちゃいけなかった理由などない。

そう言えば、何故バックパッカーの多くがここバラナシに来るんだろうか。たしかにガンジス河は、一見の価値はあるのだが……。

「ガンジス河を見ながら、ってところがイイじゃないスか」

デカちん真性マゾナベちゃんがしたり顔でそんなことを言う。

「でもこんなきたねー町に来て何が楽しいんだろうかね。おいハック、お前くらいの年でオレはこの町でジャンキーになったんだよ、お前はどう思うヨ」

「オレと同じ年ですか……。カモシダさん、バカだったんじゃないっスか」

「それは判ってるヨ。そうじゃなくてさ……」

「……死体の流れてる河ってオレ、興味ありましたよ。実際その河を目の前にして見てますけど、スゲーいいっスよ。しばらくここに居たいっスよ」

四人してガンジス河沿いに来て河を見ている。何もしないでボーッとしていて、かれこれ二時間は過ぎていた。

ふくらんで風船のようになった内臓がさっきから船着き場のロープ止めのクイに引っ掛かってプカプカと浮いている。風向きが変わるとそこから腐敗臭がやって来る。

「じゃあれか、そん時のオレは河に浮いている死体を見ながらヘロインをキメてみたくてここにいたのか」

たしかにそうかも知れない。自分で質問しておきながら勝手に答えを出していた。

人が死ぬところを見たかったのかも知れない。

死んだ後の人間がどうなるのか考えたかったのか。

何故、僕はその時、自分が死ぬことを考えていたのか。人喰いまでは出来ずに、死体のすぐ横で河の水をインド人達を真似てガブ飲みしたのもそのせいだろうか。

「オレ、何したかったのかな、ここで……」

「……………」

全員が押し黙ってしまう。

「おれよぉ、高校ん時、ボコにした奴がそれから一週間後に自殺しちまってよう。それからだよ、ヤクザの真似すんのヤメたの」

まず板谷君が自分の秘密を話した。

「自分の兄ちゃん死んだ事、まだオレ認めてません」

ハックが十八の時、三歳上の兄さんが事故で死んだらしい。奴が上京するたった二日前だったという。話した事で思い出したのか、ハックは泣き出してしまい止まらなくなった。

どうやらガンジス河のおかげで、今まで人に言えなかった事を話すきっかけを持つことが出来たようだ。

この河のおかげだ。十四年前と同じように水を飲んでかなくちゃ、そう思ってる時、ナベちゃんの告白が始まった。

「自分の彼女の写真なんスけど、どれが一番可愛いと思いますか……」

「お前って奴は……人の話を聞けっていうんだよ、バカ！　このチンコお化けが」

それでもゲッツに写真を手渡すナベちゃん。そんなもん他人が見たってどれも一緒に見えるって事を忘れちゃっている。河を見ながら彼女のことばっかり考えていたんだろうか。すぐそこには内臓が浮いているのに、彼女のことを思い出す奴はめったにいないだろうな。

バカ丁寧にゲッツは順々に彼女のアップの写真を置いていく、それを横で犯人のプロファイリングをするような目つきで、食い入るように見詰めるデカちんナベちゃん。股間に目をやるとやっぱり少し勃起しているのかズボンの前が膨らんでいる。こういう状況で自分の彼女の写真を見てもらうというのも一つのマゾ行為なのか。オレには判らんぞ、全く。

「こんなので、どう」と、ゲッツ。

ジーッと、考え込むナベちゃん。

「うーん、三番目と四番目が逆ですね、でも大体正しいです」

正しいって、どれも同じ女の顔じゃねえか。

「いやあ、ガンジス河っていいなぁ、でかいなぁ。カモシダさんも水飲むんですよね。僕もおつき合いしますヨ。彼女と永遠に一緒にいられるように、ってお祈りしながら、ねっ」

ナベちゃんの一連の動きが全く判らず、ア然としている僕たち。ナベちゃんはお構いなしに河の水をガブガブ飲み始めた。僕としてはもう少し町から離れた場所で飲もうと思っていたのに。ナベちゃんがそう出ればつき合うしかない。

ゲストハウスへの帰り道、ゲッツがそっと耳打ちしてきた。

「生爪だけじゃ、こりねェんだな、ナベは……」

その夜、やはりやって来たモーレツな下痢。すぐ隣の部屋で泊まっているハックとナベちゃんの部屋の便所からシャーシャーと便器をたたきつけるクソの音と「ウオーン、ウオーン」とまるで犬の遠吠えのような、甘くせつないナベちゃんの泣き声が一晩中響いていた。

4

四十日もの長きに及んだインド取材旅行も、ついに今晩が最後の夜となった。

ニュー・デリー。

「今晩ぐらいはちょっとばかり高級レストランで飯を食うべ」とゲッツ板谷が進言してきた。一も二もなく全員オッケーだ。選んだレストランは勿論インド料理店。

どこでどう調べてきたのか、僕たち味オンチの中でも第一人者のゲッツが、インターコンチネンタルホテルの中のインド料理店が美味しいらしい、と言って来た。

もう嫌なのだ。まずいカレーを食うのが。高い金を払えば美味しいインドの味に出会えるかも知れない。

まずいもんだらけのインド、と思っている僕のイメージを、インドでの最後の晩餐で変えられるかも知れない。せっかくこんなに日数をかけてインドを歩き回ったのだから、一回の飯ぐらい、いい思いをしたい。

ただそれだけの希望なんだから。

晩飯の行き先も決まった事だし、安宿での午後、例によって四人で気持ち良くなる煙をモウモウと立てている。

晩飯のことが楽しみでしょうがなく、自然と話はそっちへと向かう。

「おう、板谷君よお、今までインドでいろんなもん食って来たろ、どこで食った何が一番美味かったよ？」

「むー、難しい質問だなぁ、それって。そーだなー、どれも俺の舌では合格点をやれる飯はなかった……」

「何言ってんだこのデブ。スシの出前とって、コーラ飲みながらスシ食うような男が。タバコふかしながらフルーツ牛乳とざるそばとプリンを一緒に食える男が何エラソーな事を……」

「判ったよ。そー怒るなよカモちゃん。カモちゃんはいっつも怒ってばっかりなんだから。ガンジャきめながら怒る男って初めて見たよ。オレは。……よし！　一品な、カルカッタのメシ屋、あれなら俺の舌に……」

「お前の舌はいいって。そうか、あのカルカッタのメシ屋か。たしかにあそこは悪くないな」

ベンガル料理店だった。米どころなのか細長い米だけれどもとても軽い、たしかにいい米だった。おかずもすっきり、さっぱりの味つけで日本人には合うかも知れない。

「ひどいの何のって、バラナシの日本食屋だね。カツ丼、アレ最悪だよ。なんだか鉄の皿に盛られて来てさ、味もひどいし牢屋に入れられた気分になったよ。おう、ハック！　お前の最高、最悪のメシって何だよ」

「自分ウマいもんけっこう食ってますッス。まずゴアのビーチレストランで食ったエビチャーハン、ムンバイの玉子中華スープ、カルカッタの焼きそば、インパールの日本米みたいな……」

「ウハハハッ、ちょっと待て、おメーのうまかったもんて全部インド料理じゃネーじゃねーかよ。何か美味かったインド料理は？　ハイ、一品でいいから言ってみろ」

「……あ、ありました。ラッシー。あれ、最高っス」

「ウハハッ、バカヤローお前、あれは料理じゃねーってんだよ。ほらインド料理は？」

「インド人の食い物は人間の食う物じゃないッス。だって必ずゲリになりまス」

「お前、そこまで言うなよ。C&Cのカレーしか食った事のない奴にそこまで言われちゃインド人だって殺しに来るぞ」

「そんなに言うんだったらカモシダさん、どこの食事が一番良かったッスか」

「……マンゴーチャツネ……」

「はぁ？」

「いやあ、オレだって思い出す店はいくつかあるよ。例えばゴアの町で入ったニューデリーレストラン。あそこのエビカレーなんてけっこう好きだったよ。それと店の名前忘れちゃったけど、やっぱりゴアで食ったビリヤニなんかもね、軽くて良かった。あそこは海の幸も新鮮だったし、米の質も良かったよ。でもさ、みんなまたオレの事怒りっぽいって言うかも知れないけど、どこ入ってもぼったくり屋ばっかりだろ、ハラ立っちゃってさ、それでもう嫌なんだ」

「カモシダさん、それはおかしいです。僕はちゃんとメニューに書いてある料金を毎回たしかめてましたから」

デカちんのナベちゃんが子供の正直さで応えてくる。

「だからさ、それはナベちゃんだけじゃなくて全員に言えるんだけど、インドまで来てさ、全部化学調味料だらけのモン食って美味いも何もないだろーが。そんなモンに金払うなんてまるで日本にいて、しょうがないからファミレス入るのと一緒じゃん。それはオレにはボッてるとしか思えないの。だけどチャツネだけは日本みたいに甘ったるくなくて、インドっぽいな、と思えたからさ。オレはインドのマンゴーチャツネに皿メシ。これが一番インドっぽくてウマかった」

「カモちゃんはずるいよな。人から散々聞いといて、いつもきれいに話まとめやがって。じゃさ、何でもいいから最悪を教えてよ」

「……バラナシのバングラッシー……あれやばかった。以前はまったヘロインにかぎりなく近かったヨ……」

「…………」

ゲッツがフーッと深いため息をつく。

「でもよ、カモちゃん。俺達またおいしい物食いそびれちまったなぁ……」

「何だよ、それ」

「女、おんな、メス」

「なーに言ってやがんだ、このデブちんが。目見開いてオレ達のことよーく見ろってんだヨ」

「う、うん。だめだね、これじゃ」

「今になって判ったんか。この脂まみれが」

ゲッツ板谷とオレとハック。旅行中ずーっとスキンヘッドだった。もっとも元気の良かった頃の梶原一騎みたいなゲッツに落ち武者のようなオレ。まずこの二人だけで女は恐れをなして近づこうとはしない。それに壊れたカカシのようなハックに、いつどんな時でも巨根を強調したいのか、ピッチピチのジーンズにハーレーダビッドソンの黒いTシャツのナベちゃん。遠くからやって来る奴を眺めているとただの小人プロレスラーにしか見えない。こんな四人でどうやったら女を引っかけられると言うんだ。

ゲッツが叫んだ。

「よー、ハック、横丁の酒屋でビール三本買って来い。その間にもし日本人の女がいたら、どんなのでもいい、メスなら何でもいいからナンパして来い。いいなこれは命令だかんな」

「どんなんでもいいんスね。一人でも二人でもいいんスね。オレ行って来ます」

十分後……。

宇宙を飛んだ向井千秋さんそっくりのおばさんを引っぱってくるハック。小さな声で、

「こんなんでも、いいっスよね……」

ウガギリと一言、声にならない叫びを上げたゲッツ。でもそこはナンパ成功率五割をほこる彼、一瞬にして場を盛り上げる事だけを考える。

そのおばさん、一年のうち半年はずーっとインドを回りハッパを吸い、地ビールのおいしいのを見つけるのが趣味という、かなり変わったおばさんだった。それでもどーにか話を合わせるゲッツ。彼の目的は何なんだ。小声で聞く……。

「おい、ゲッツよう、お前何考えてんだよ」

「やっやっやるっきゃねーべ」

女なら何でも良し、そこまで彼の性欲は切羽詰まっていたんだ。四十日間同室で、満足にオナニーすらさせてあげなかった事をちょっと反省した。

でもこの男、いじめればいじめるほどいい味を出してくる。今も目の前で向井さんにとろけるような甘い熱い視線を送っている。なにもこの期に及んで、この勝負に賭けることもなかろうに、明日はバンコクなんだから、ソープでも何でもあるのに。端から見ていて笑いをこらえるのに苦労した。

三十分たち、ついに直球を投げたゲッツ。

「僕たちは今までインドの味を追求してきたのですが、今晩がそれも最後なのです。よかったら僕達と探求の旅の最終章をご一緒に飾っていただけませんか」

なんとマヌケな、なんと似合わないセリフか。自分が梶原一騎であることに未だ気づいていない。

ドギマギしながら向井さん、「ちょっとトイレへ」と言って立ち上がって行った。

「カモちゃん、しょうがねーよな。あれでも上等だよな。バッチシ、決まったぜ」

しばらくして僕達のところへもどってきた向井さん、妙にさっぱりとした顔できっぱりと、

「今、血便が出たのでこのまま帰ります」

こちらを一度もふり返りもせず、スタスタと行ってしまった。

ヘソの力が抜けたような顔をしているゲッツ。それを見て笑いが止まらなくなった。

「グハハハ。おいゲッツよう、血便だってよお。デッ、デートの断り文句がケツベンだぞ、おい。グハハハッ腹いてーよ……」

「俺、ナンパで振られて、その理由がケツから血が出たのって初めてだよ。いやーびっくりしたよ。やられた。俺の負けです、ハイ」

ゲッツが選んだレストランで食事をした。今までで一番高かった。今までの中で下から五番目くらいのマズさだった。

5

僕の住んでいるバンコクのマンションから歩いて五分ほどの場所に、味、値段ともにそこそこのイタリアンレストランがある。

インド帰りで、まるで群馬の山奥の魚屋に並べられている、全く活きの悪いサバのように死んだ目をした野郎三人。

ゲッツ板谷、ハック、そして僕。

三人して昼飯にそこを選び、パスタをがっついている。

当然僕は白ワインもがぶ飲みし、ものの三十分とたっていないのにもう二本目に入っていた。開放感いっぱいに、久し振りに気持ちの良い、のびのびした酔いにひたっていた。

真性マゾ・デカチン・プリティアトムなナベちゃんは、この期に及んでなお、ハッパを求め、サムイ島へと昨日のうちに向かっていた。

久しぶりにカレーの匂いのしない物を口にして、よっぽど美味いのか、ゲッツとハックはすでに二皿目のスパゲッティーを注文している。

まるでベーコンのように脂を身にまとっていたゲッツは、見た目におそらく二十キロは体重が落ちてしまった感じがする。

日本で引っ越し屋のアルバイトをしていたハックは、もともと皮を剝いたカエルのような体をしていたが、それも無理な減量をして死んでしまった力石トオルのようにカサカサだ。

ベーコン、じゃなくて、中華街によくぶら下がっているカサカサの腸詰めになっちゃったゲッツと、力石トオルになったハック。その二人が僕の目の前でスパゲッティーをノドに流し込むようにして食べている。

それを見ていると、何だか僕は保護観察員にでもなったような気分がする。でも、僕の体もボロボロだった。

何だか色々なものが浮いているガンジス河の水を一口飲んでからというもの、ひどい下痢が続いており、そのせいで直腸から肛門がヒリヒリと痛くてたまらなかった。

何年か前にはアメーバ赤痢になったこともある僕。昔っからの医者嫌いが高じて、その時も市販薬だけで治した経験があるので、今回も薬を飲むだけと、ケツのヒリヒリをちょっとだけでも止めようと肛門の回りにタイガーバームを塗りつけていた。そのうち、タイガーバームまみれの中指がゆるくなったケツの中に入り込むようになり、スッポリと、指の付け根まで自由に出入り出来るようになった。

直腸におさまった指の感触で判ったのだけど、小さなコメつぶ大のふくらみが五個出来ていて、どうやらそれがポリープというものか、と指先でなぞったりして一人遊びを隠れてしていて、ふと気づいた。

これって世で言う調教、と似ているじゃん、と。

そうですよね？　きっと。

久しぶりの満足した昼メシでみんなの顔が少しずつゆっくりと、柔らかくなっていく。

ゲッツとハックはさっきから、

「ウマイ、ウマイ」

を連発しているだけだった。

「よう、ゲッツ。今晩はどうするよ」

「オネーちゃんのところ、行くしかネーべや。なぁ、ハック」

「そうですヨ。カモシダさん、ゴーゴーバー行きましょうよ。自分、いい店知ってます」

食欲の後は性欲って訳か。二人とも、あっという間に元気が戻ったらしい。すると、

「カモちゃん、カモちゃん。あっち、あっち」

と、小声で僕の後ろを指さしながらそっと様子をうかがうゲッツ、二組のカップルが食事をしに席に着いたところだった。

「あいつら日本人じゃねーか。カモちゃん」

と、言いながら白ワインを急にグビッと一気飲みするゲッツ。どういう生き物なのかゲッツ。もうそっちへ甘ったるい視線を投げかけている。よっぽど日本人の女が恋しいらしい。奴の体からサイレンが鳴っている。

僕の背後から聞こえてくるのは、間違いなく日本語で、しばらく内容を聞いている

と女の子達はバンコク便のスチュワーデスで、どうやらその相手をしているのはこの街のホテルで働いている日本人スタッフのようだった。

「おい、ゲッツ。あの女ども、スチュワーデスらしいぞ。それに、男は恋人じゃねーみてーだぞ」

「本当っスか」

と目を輝かせるハック。

ゲッツはその横で大きく深呼吸したかと思うと、また出た「いくっきゃネーべ」のセリフ。

「おい、行くったってどーするよ。また失敗するに決まってんだろーが。一応男連れって事はあの娘達は用心してるんだからさ。あきらめて、夜、タイの女の子達とあそぼーよ。なっ」

「そんなのもったいねーよ。何ならあんな弱っちい男なら二人とも、俺一人でボコにしてやんから。女二人カモちゃんのマンションに連れ込んじゃってさ。三人でやっちゃおーぜ。なぁ、ハック」

「自分もそれ、いい考えだと思いまス。自分、実はシロート童貞っスから。今回の旅の思い出の最後に、いいと思います」

「ちょっと待てよ。この獣どもが。それじゃあゴーカンだって言うの。そんな事に俺のマンション使わせねーよ」

「何言ってんだよ。俺の性欲をここまで切羽詰まらせたのはカモちゃんじゃねーか。そんな弱気な事言われたって、俺許さねーからな」

「まぁ、ちょっと待て。もう少し様子を見ようよ。俺んとこ、奴等が何くっちゃべってるか聞こえてくるからさ」

「……お、おう。判ったよ。十分だけ待つからな。とにかく、ダメでもともと、俺は絶対ナンパしに行くから」

四人組の話をそっと盗み聞きしていると、思った通り、男二人はとあるホテルの現地スタッフで、そのホテルに女どもは投宿しているらしい。ホテルとしたらスッチーなど、この上ない上客だろうから、日本人の男二人を使ってガイドして色々な場所を連れ回っているようだ。

どうやら今日一日の日程は夜遅くまで決まっているらしく、ゲッツのような腸詰め野郎が、その中に割って入って行けるような場所は一つもなかった。

しかし、聞くにつけ男二人の話し方が妙に女っぽい。娘達をゲラゲラ笑わせているギャグも、どうにも二丁目のママさんぽかった。

四人が共通の知人の話にしても、締めくくりは必ず、

「だーめよ、あんな粗チン」とか、

「センス悪いのよねー、あの男」だったりする。

女の子がちょっとでも知ったような事を言おうものなら、

「うるさいわね、あんた。ガバガバのくせに」

とアントニオ猪木の卍固めのような決め手で話を終わらす。それでも女の子達には大ウケしている。

それに今日の締めくくりは男のストリップ小屋だと、しきりに話している。

どうやら日本からバンコクにやって来たオネエ二人組らしい。よくある話だ。ホテル勤めだと一室与えられる。日本から通うより住んでしまえって事で、精神がサービス業に向いているし、現地採用だと決してギャラは高くないが、日本で隠れながら生きているより、よっぽど気分がいい。

そういうオネエ二人とスッチーの組合わせだという事が判った。それをゲッツに話

して聞かせる。

「……そ、そういうカンケーか。苦しいな」

「何がだよ」

「いやさあ、男がただの女好きであんなひ弱だったらぶん殴って女さらって行こうと思ってたんだけど、オネエってことはまあ言ってみれば女だろ。女には手は出せねーよな」

僕にはゲッツの獣と正義感のバランスがよく判らない。

「なぁ、カモちゃん」

急にしんみりした顔をするゲッツ。

「なんだよ」

「カモちゃん、オカマとセックスした事ある？」

「ああ、タイ人のオカマとなら五人ぐらい試したよ。この街にはオカマがたくさんいてさ、生きている訳だろう。それで、何が女と違ってよいのか知りたくてさ。セックスそのものは俺はやっぱ女の方がいいな、何かやっぱゴツイし、あそこも全員浅くてさ、ただの穴ッポコって感じだったよ。でもこの街は、本当にハッとするような美人オカマがいるじゃん、あいつらスゲーよな」

「そうなんだよ。実は俺、一人のオカマに前来た時に一目惚れしちゃってさ、気分変えて今日はその子にお願いしようかな、と思ってさ」

「マジっスか。板谷さん、バカになったスか。マジっスか」

スチュワーデス二人の強姦から話は急転して、ゲッツはオカマ初体験を迎えようとしていた。ハックがいつまでも「マジっスか。本気っスか」と言い続け、おびえていた。

6

「マジっスか!? カモシダさん、板谷さん。今日マジ、オカマとやるっスか」

僕のマンションからパッポンのゴーゴーバーへと向かうタクシーの中でしきりにハックは同じ言葉をつぶやき、「ハーッ」と大きなため息を何度となくはいている。

「何ビビッてんだよ、ハック。ものはためしだよ。俺がおごってやんから、お前もびしっと決めろや、な」

「そうだよ、ゲッツの言う通りだよ。別にそんな恐ろしい事じゃねーってよ。どーせお前、シロート童貞だって言ってたじゃないか。シロートさんといざって時に、きっと今日の出来事がいい体験になるって、なあ」

「いや、そうじゃないんです。本当に恐ろしいんです。今日、オカマさんとしますよ、そしてオカマさんとのセックス忘れられなくなっちゃったら、俺どうなるんスか。今までの商売女より、オカマさんの方が気持ち良かったら、どうなるんスか、それ恐ろしいでス」

「それがどうした」と僕。

「いやあ、マジ恐いス」

「なーにが、恐いんだってーっ」とゲッツ。

「だっ、だから女じゃなくて、オッ、オカマとしかセックス出来ない体になっちゃったらと思うと……」

「カミングアウトすればいいじゃねーか」

「…………」

「お前がそんな弱虫だとは思わなかったよ」

ついにハックが切れた。

「……うるせー二人とも、先輩づらしやがって、恐いもんは恐いんだよ。じゃあ聞くよ、ええゲッツさん。あんたもしオカマにチンコ付いいててケツ犯されてもいいんだな。オカマがスッゲーチンコでかくて、それで犯され、どうにかなってもいいんだな」

「なに言ってんだよハック、別に犯られたっていいもん。だって俺ガキん頃、オナニーん時アナルにいろんなもん突っ込んでたもん。自分で自分のケツ犯してたもん」

「えーっ、それ本当かよゲッツ。何入れてたの？」

「うん、手当り次第。入りそうなもんなんでも、よく入れてたのが弟の歯ブラシ。だんだん慣れてきて次にねえ、かあちゃんのフェイスブラシかなぁ。あれ、結構気持ち良かった。あとねえ……」

「おい、ハック。ゲッツの話まだ聞きてーか。お前の負けは目に見えてんぞ」

「ウッス、負けました」

「そう言うなよ、ハック。まあ聞けよ。変わったところではねぇ。俺ガキん頃、鯉のつかみどり大会で優勝したことあんだよ。その鯉の中にさ、ドイツゴイって珍しい種類がまじっててさ、ああ、このコイ貴重なんだなぁ、すごいんだなあ、ってボーッと見てたらさ。つい、入れちゃった」

「えー、ケツの穴にコイを」

「う、うん。何だか変だったな。ニョコニョコってやっぱ、穴の中で動いてるので急に正気に返ってひり出したんだけどさ。俺、しめ殺しちゃったよ。だから、そーっと水槽の中にバックレテ入れておいた」

「きったねーなー。お前、で、それ何歳くらいん時よ」

「中一の頃だったかな。あの頃って気持ちよさそーだと思った事はとにかく何でもしたよね」

「おう、俺もだ」

「ちっきしょー。じゃ、カモシダさん聞きますよ。オカマにでっかいチンコが付いてて、それをくわえてくれって言われたらどーしますか、えっ」

「簡単だよ、断わる」

「じゃ、無理矢理ねじ込まれたらどーしますか」

「そーしたらしょーがねーよ。気持ち良くしてやるよ。スキが出来たところでぶん殴ってやるけどな。でもなぁ、俺もゲッツと同じで中一の頃っておかしな事してたよ。近所に住む奴でさ、いま思うと奴はホモだったと思うけどさ、よく俺のチンコくわえてくれる奴がいてさ、それもイクまでだぜ。ホラ、その頃ってまだ女にやらせてくれ、なんて言えねーじゃねーか。そんな時その男がよく俺のチンコしゃぶってくれててさ。そん時はそれ以上に気持ちいい事なかったからな。だから時々、俺もお礼にそいつのくわえてやった事何回かあったもん。おいハック、お前にはそーいった思い出、ねーのか」

「自分、内気だったっスから。おっ、オナニーくらいっス。投稿写真、アレ最高っス」

「よっしゃーあ、じゃあ今日はハデにあそぼうぜ、なっ、おい」

パッポンのゴーゴーバーに着いた。ゲッツが前回一目惚れしたオカマが働いていたところへと向かう。ハックはよっぽどイヤなのか下を向いたままだった。

一軒の店へ入る。舞台の上で踊っている女はほとんどオカマちゃんだった。

「あーっ、カ、カモちゃん。いた、いた、あの娘、あの娘だよーっ」

顔に見覚えがあった。

そう言えば、一年前にもこの店でゲッツのために彼女との話を通訳してあげたのだった。

「よーし、決まった。おいゲッツ。今晩は、あの娘でいいんだな」

「よ、よし俺も男だ。オカマちゃんとハメ狂ってやるよ。でもカモちゃん、今は酒たくさん飲んでいい？　やっぱ勢いつけないと」

「おうよ、ガブガブいこうぜ。俺もつき合うよ、最後までな。それこそ酒池肉林というか。よーハック、いいからつべこべ言わず飲め、そしてやれ！　いいかこれは命令だかんな」

「ファ、ファイ」

と返事をしながら泣き出した。

彼女を指名し、ゲッツの横に座らす。色白で華奢で、本物の美人だった。若い頃の山本陽子にそっくりのオカマちゃんだった。

彼女の友達二人も、僕とハックのために呼んでもらう。その二人もまた見事な美人で、オカマ美人らしいオカマ、ではなく、性別を問わず、美しい生き物だった。華僑という奴らは恐い。

ハックも泣いてるんだか、喜んでいるのか、はたまた酔ってるんだか、何だか土左衛門のようにゆがんだ表情をしていた。

「カッ、カモちゃん。俺、だいぶ酔って来ちゃったよ。そろそろ行くべか、カモちゃん家」

「自分、気持ちいいス。サイコース。この娘すげー美人っス。早く帰って色々してーよー」

連れ出し料とショートで一人約二万円と言い出した。えらいボッタクリである。その金額をゲッツにそっと耳打ちすると、

「いいよ、いいよ、カモちゃん。取りあえず、俺出しておくからさ。ホラ見てみろよ、グハハ、ハックの野郎」

さっきまでの緊張感が酔いのせいで一気にほぐれたのか、みんなに見られているとも知らず、オカマちゃんとディープキスをしながら乳を揉みしだくハック。何度大声で呼んでも離れようとしないので、交尾中のオスにするように頭から残りのウィスキーをぶっ掛けたら、よーやくオカマちゃんから離れた。

何が何だか判らなくなった三人は、それぞれオカマちゃんの腰に手を回してふらふらになりながら、僕の部屋へと入って行った。

マンションに入る時もゲートにいるガードマンは目を真ん丸にしていたが誰ひとり気にもとめなかった。

部屋のリビングは、すぐさま乱交パーティーのようになった。Tシャツを脱がされ、オカマちゃんが馬乗りになったその下で、両乳首から伸びている乳毛を引っぱら

れているハック。

はずかしながらも気持ちよいのか「まー、ごめんなさーい」と変な言葉遣いになっている。

「ヴゥ、ウググッ」と薄暗闇から野太いうなり声が聞こえたと思うと、立ったままのゲッツの股間では長い黒髪が「コックリ、コックリ」と前後している。

気がつくと僕もオカマちゃんに全裸にされていて、やはり素っ裸のもう一人に上から下までなすがままにされていた。

タイのオカマちゃんというのはアメリカのエロビデオの見すぎなのか、いやにハデに動く。

「ウキャキャキャ」と、子供のようにはしゃぐハックの声と、「よいさぁ、ホォーレ、入ったぞおう」とその言葉だけで何をどうしたか一発で判るゲッツの声を聞いたのを最後に、僕の記憶はスウッ、と消えた。

何かクスリでも盛られたのか、全員気絶したらしい。目が覚めるとゲッツとハックは全裸でパンティストッキングをかぶらされたまま、そしてコンドームも着いたまま、まだ眠っていた。

ハッと気づいて財布の中を確かめた。

金はとられてはいなかった。

ふと我に返ると、僕もストッキングをかぶり、コンドームもよれてそのままひっついていた。

あまりに間抜けなその姿。一枚写真を撮ることにした。

今回の旅の締めくくりを、まさしく象徴する一枚となった。

次はどこへ行こうか、なぁ、ゲッツよ。

第6話
煮え煮えのイスラエル

何だか勢いだけで来てしまった。

イスラエルに、である。

どうもいつまでたっても、キナ臭い、というよりも火薬臭い場所へヒョロヒョロと出向いてしまうクセが抜けない。

こんな僕でも、二児の父である。

下の子なんてまだ生後五ヵ月の赤ちゃんだ。

やっと僕と目が合うと〝ニコッ〟と微笑むようになったというのに。

これからどんどん可愛くなる時だ、と言うのに、つい、本当につい、やって来てしまった。

イスラエル、へ、である。

ユダヤ人とパレスチナ人が血を流しながら戦い合っている地……。

こんな場所へ来て、平和な日本で、幸せファミリーの中でぬくぬくと温かくなった僕に何が出来ようか。

来て三日。一度もシャッターを切っていない。

いやぁ、とってもビールがおいしいのですヨ。

国自体が砂漠の中に無理矢理緑をくっつけた土地だから、もう空気が乾きに乾いていて、ビールを飲むには、とっておきの場所と言えるだろうな。

とにかく、飲める。グビグビいける。

どんどんするする、お昼からいくらでも。

たまらなくウマイ。

イスラム系のウェイターにいくら白い目で見られようと、美人とは言えないが獣のようなフェロモンを出すユダヤ娘のロビーの女の子に〝キッ〟とキビシイ目を向けられようが、僕は今日もビールを飲み続ける。

この国の皆さんに申し訳ないと思わないのか、と言われるかも知れない。

そうかも知れない。

でもやめられない。

子供の頃、二段ベッドの上でオナニーをしていたら、突然母ちゃんが掃除機を持って部屋へ入って来たことがある。

もうすでにフィニッシュに向かっていた僕は、お袋がガーガーやっているにもかかわらず、

「バレてもしょーがなーい」

とストロークを止めることが出来なかった。

それくらいここのビールはおいしい。

泡が鼻から小気味よく抜ける。

空気が乾いているせいで、とても軽く感じる。


まず、テル・アビブにいた。

まあこの町は爆弾テロだけの街なのでそれだけは気をつけろ、と言われても、そんなもの、雷が落ちるようなものだから気にしたってしょうがない。

海沿いの、きれいな街であった。

瀬戸内を思わせるような静かな海辺で、ユダヤ人達は日光浴をし、犬を遊ばせ、それは平和な光景だった。

世界のリゾート事情はよく判らないが、この街はなかなか立派なものじゃないか、と思う。

でも、ちょっと行くと殺し合いのある国だ。

そして僕はビールを飲む。

この国は、移民の国だ。ユダヤ教徒であれば、またユダヤ教徒になれば、この国の国民になれる。

夜になってイタリア料理店へ行った。

イタリアからの移民の店なのか、見事な味と例の大盛りだった。

そしてやっぱり僕はビールを飲み、ワインをためしてみた。

ワインも、いいぞ。

ドイツのものともイタリアのものともつかないが、やはり軽い。

テル・アビブという街は、きれいな街だ。

でも、ちょっと行くと殺し合いがある。

それが嫌だ。気になる。

何の代償でこの街はこんなに整っているのか。

やっぱり気にくわない。

でも僕はビールを飲む。

ユダヤの歴史で、誰もが忘れない出来事と言えば、やはり第二次世界大戦の頃の〝ホロコースト〟である。

ヒトラーの第三帝国に、ユダヤ人は最も〝ダメな〟民族とみなされ、ものすごく身勝手な考えの〝種の純潔を守る〟べく、何百万というユダヤ人がこの世から消された。

こんな事を書いている間にも、つけっぱなしのテレビのニュースからは、パレスチナ人による爆弾テロによって何人死んだ……、そしてその報復として今まさにパレスチナの夜の街めがけてユダヤ人達がガンシップをバシバシ飛ばしている。

この人達は双方とも、同じ事をくり返す。

ユダヤ人がやったから、俺達パレスチナはやり返すんだ。

いやいや、パレスチナ人がやるから俺達ユダヤ人は国を守るんだ、と言う。

何ともやりきれず、ただただビールをあおるばかり……。

パレスチナ自治区にはたくさんのユダヤ人入植者達が移り住んでいる。

他の国から、特にロシアからのユダヤ系移民が毎年やって来たせいで、本州の半分くらいしかないこの小さな国に、住める場所がなくなってしまったからだ。

そして彼らが移り住んだ場所というのが例外なく、見晴らしの良い丘の上だ。そこに集落を作っていた。

香港やロスの高級住宅地にも見えなくはないが、ハイウェイからよくよく目を凝らすとユダヤ人居住区の集団には大小いくつものテントが張り巡らされている。

イスラエル軍にとっての、城の役目をしているのである。

眼下に広がるパレスチナ人集落を落とすことなど、アリを潰すくらい楽ちんな事だ。

軍事目的のユダヤ人村……。

そんな事してもいいのだろうか。

パレスチナ人達を追い払い、イスラエルを建国し、世論をかわすかのように自治区というものを作っておいて、あとからどかどかと、とても巧妙に彼らの土地を少しずつ、奪っていく。

パレスチナ人のドライバーが西岸地区を走らせている時、車窓から見えるユダヤ人居住区を指さして、

「見てみろ、まるで癌のようだ」

といまいましげにつぶやいた。

でも僕はその時、判っていた。

その癌のおかげでパレスチナ人達のもとへも、電気・水道のパイプラインは確保されている事を。

その事を言うと、「それは当り前だ」と言い返して来た。

「俺達はユダヤ人に高い税金を払っているんだから……。その金で奴らはアメリカから俺達パレスチナ人を殺すための武器を買っているんだ。自分の手で仲間の首を絞め合っている事なんだ。そんなのないだろ、オイ！」

やっぱりやりきれない。

ホテルに戻り、『アンネの日記』を何十年ぶりかに読み直してみる。

ユダヤ人は、この少女の気持ちを、自分たちの思いそのままに感じていたのではなかったのか。

平和を思う気持ちを、この本に託したのではなかったのか。
この国に来て、そうではない事を、まざまざと思い知らされた。
彼らユダヤ人は悲しい歴史の中を必死になって生き抜いた。
考えるだけでも臭ってきそうなほどの同胞の血が流されていながらも生き抜いた。
結果、彼らは建国という形で戦いに勝ったのだ。
僕は負けた国の民だ。
日本も、ドイツも、負けた者の言い分は通らない。
石を投げている青年に聞いてみた。
「なぜ武器を持たないで石を投げる」と。
「俺達は平和を求めているだけだ。これは抗議の石つぶてなんだ」と言っていた。
ユダヤ人がこれを聞くと、また怒るんだろうな……。
やっぱりやりきれない。
負けた国から来た僕は、同じように勝つことが出来ないパレスチナ人の事が気になる。
日本に帰ったら、『ベニスの商人』を読み直してみよう。

第7話
煮え煮えの毎日

1 いいじゃないか、負けたって

ちょっとしたヤボ用で久しぶりにバンコクに来た。

雨ばかり降っている。

取材でも、仕事でも何でもない。

今さら子供たちの集まる安宿街に泊まる必要もないので、日本人が多く生活しているエリアの、当り前の、どこの国の都市に行ってもあるような、そこそこのホテルに居る。

雨が上がった少しの時間、街をぶらつく。

慣れもあるだろうが、この街はちっとも面白く感じられなくなった。

都市がそれらしく体裁を繕おうとすればするほど、そこに暮らす人々の目が優しくなくなる。

疲れた目になる。

都市にいるときつい酒が飲みたくなる。

あれは一体なんなのであろうか。


一軒の古本屋に入ってみた。

この町で生活していた頃、毎日のように出入りしていた店だった。日本の古本が多く置いてあった。

この店に出向いては、読みたい本が入っていないかどうか、目を皿のようにしていたのが懐かしい。

日本でもそうだが、古本屋という商いにははっきりとした顔がある。良い本をそろえている店に一歩入ると、何処からともなく勢いを感じるものだ。

そういえば若かりし頃、商売をするのなら古本屋がいいな、などと考えていた時期があった。

自分が良いと思える本ばかりをそろえて、毎日本を読んで、店の奥に座っていればいい。

それもいいな、と思っていた。

気がついたら僕は、書く方の人になっている。

読んでいただく方の人間になっている。

冒険記を読んで感動していた僕は、冒険したくてうずうずする体質になってしまっていた。

生きて行くというのは判らないものだ。

バンコクのその古本屋も、いい顔をしていた。

三万人ほどの日本人が暮らす街で良い本を集める、というのは大変だと思う。

しかしなかなかどうして、〝はっ〟と思わせるような名作がある日そっと置いてあったりした。

それがどうしたことか、すっかり駄目になっていた。感じの悪い太ったババアみたいになっていた。

清々しいところが良かったのに、売れ筋、または東南アジアに関する本が大半を占めている。

持ち込まれる本が変わってしまったのだろうな。

こういった本を読む日本人が増えたという事だろう。

ずっとこの街で生きていなくて良かった、と改めて確認した。

日本という国もそうだが、

「何処へ行こうとしているのか、この街は」

と叫びたくなった。


ずっと全ての事から逃げまくっている男がこの街にいた。

日本から逃げ、つい数年前この街からも逃げ、今はカンボジアのプノンペンで相変わらず嘘をつき続けているらしい。

その男にとって自分のついている嘘が唯一の真実で、時おり嘘が嘘を呼んで何を言っているのか判らない時があった。

ロクでもない男であったが、僕は結構その男と楽しくつるんでいた時期がある。

詐欺師と呼ぶにはあまりにも小粒な嘘で仲間を騙しては、その金でゴルフ、酒、女に注ぎ込んでいる男だった。

人の金を取ってやらないと、まるで自分が損したと思っているようなフシがあった。

自分の嘘に乗って来ない仲間のことは散々悪口を言い続ける、困ったおやじだった。

人は、特に男は、一回何かに負けると、大きく踏みとどまらなければ、逃げ続けなくてはならない生き方になる。

負けを認めず、言い訳を考えていると勝つチャンスを多く逃してしまう。

ヒクソン・グレイシーという男は負けるという恐怖を心底知りつくしている。

負け知らず、というのは嘘っぱちだ。

彼だけは知っている。

しっかりと何度か負けたのだ。

無敗を誇る、何とかという麻雀のプロがいる。

負け知らず、そんな顔か！

あいつの顔は何なんだ。ちびり屋そのものでないか。

あの人は負けたことがない、のではなく、詐欺師なの！

負け知らず、という一番言ってはいけない大きな嘘を背負ってこの男たちは生き続ける。

何故そんな嘘をつく必要がある、と言うのだ。

どうにもそういう癖を持った人々を見ると、やるせなくなってしまう。

全ての男たちに言いたい。

「いいじゃないか……。負けたって……」


生きている意味なんかを、時々真面目に考えてみることがある。

書いていてはずかしくなったが、本当だからしょうがない。

たいした事じゃないんだ。

人には夢がある。

どんな男にも夢がある。

でもほとんどの男どもはそれをいつの間にか忘れたふりをする。

そう、忘れたふりなのだ。

写真家という人々にとっては、より多く撮影することが良いものを作り出す、と言われている。

僕も少しばかりその仕事の真似をしていたので、何となくその気持ちは判る。

でも何年前だったか……。

名は失念してしまった。

一年でほんの数枚の写真を撮る写真家という人の展覧会を観た事がある。

見事な写真だった。島肌が立つ作品ばかりだった。

そのヨーロッパ人は年に数回カメラのシャッターを押して、写真家として生きている。

恐らくそれだけでは食えていないだろう。

勝手にその人物像を想像してみた。

ずっと撮りたいものを考え、ずっと撮りたいものが目の前に現れるまで歩き回っているのだろう。

出会った瞬間、見事にとらえる。

そうじゃない時もきっとある。

撮ったフィルムを焼き付ける時、彼は何を思うのだろう。

浮かび上がる像をどんな気持ちで見つめているのだろう。

その興奮を考えると、何百回も蓄えた彼のエネルギーというものの弾け方が、僕の日夜の虚構をはずかしい事に変えてしまう。

写真家の行為には、ほとんど嘘がない。

したいことだけを毎日考え、嘘をつく暇がない。

ほとんどの人は、そこまで無垢になると、逆に恐くなって何か全く違う意味のない事をし出してしまう。

全く淀みのない世界というものは恐ろしい。

ちょっとばかり汚れて、きたならしい世界の方が、人間にとっても丁度よい。

経験のある人は判ると思うが、阿片の完璧な世界というのは、入口に必ず恐怖を伴う。

写真家はそういう自分の世界で生きている。

僕のようなまけ者が考えると、つらい生き方に思えてならない。時々泣きたくもないのに泣ける歌を聴いたり、意味もなく牛丼屋のカレーを大喰いしたり、好きでもないすぐ出来そうな女に電話をしたりしてしまう。

後悔をしたがるものだ。

人は丁度それでいい。

負けを知っているから、大人は無駄なことをしたがる。

それは自分だけが知っている、嘘の世界なんだ。

嘘をついて、ほっとゆっくり暖かい息をはき出す一瞬がある。

それはとても楽で、気分がいい。

良い事など一つもないのに、その時は自分だけはとても楽しい。

完璧な世界はない。

久しぶりのバンコクでそんな事を考えた。

もうそろそろ酔い潰れてしまいそうだ。

出発前の空港内にあるバーでこれを書いていて、つらい……。

おっちゃんが、街で買ったタイ女にここまで見送らせてはしゃいでいる。

急に、少年の頃観た映画『エマニエル夫人』のことを思い出した。あの映画はタイでの話であった。

セックスに関してはこの国は何でもありだ。

金さえあれば何だってできる。
それもまあいいじゃないか、とこの頃は思えるようになって来た。
嘘でもいいから恋をしたいのだろう。
札びらで女の頬をひっぱたきたければすればいい……。
やりたい奴は好きにしろ。
そう思う。
何だか酔って話が流れていった。
こういう作業は止めにする。

2 釣り

焼津へ行って来た。

とある知り合いの先輩小説家の家へ遊びに行き、漁師船で豪快にカツオ漁をしようという誘いに乗ったのだった。

上手いとは全く思わないが、僕は釣りが大好きだ。

海釣りでの釣果はいつもまあまあ。

決まって前夜はしゃぎすぎてしまい、大酒を喰らってしまうのでひどい宿酔《ふつかよい》のまま船に乗り込む。

そうなると、遊牧民に殺される直前の羊のように、おっとりとおとなしくなってしまう。

まあ、それでもそこそこにいつも釣れる。

えらそうに自慢出来る大きさではないが、今までで一番大きい奴は七十センチくらいのメジマグロ。

笑い声が聞こえて来そうだけど、こいつだって立派に手ごたえがあったのだから。

それは見事に戦い合った。


焼津でのその日、生まれて初めてボーズを体験した。

空は晴れわたり海鳥が群れてもいなければ、海も静かそのものだった。

ハナクソ程の当りもなかった。

船に驚いて、時おりトビウオがきれいな姿で飛んで行くばかり。

しょうがないので、何年ぶりかに見る富士山を眺めながらうつらうつらしていた。

例によって酒が抜けていない僕にとって、それはそれで楽しい揺りかごのようなもので、気分は良い。

海釣りに行くと、つくづく自分の事が判る瞬間がある。

大好きなはずの魚釣りに来ているのに、目的の釣りが始まると急に執着心がスーッと消えて行く。

魚など、どうでも良くなる時がよくある。目と心の半分は竿先を注意しているのだけれど、もう半分は何だか自分でもとらえようのない不安感やあせり、こんな平安な時間の中にいていいんだろうかという想いにとらわれている。

遊んでいる時間など本当はないのでは、と思って来てしまう。

僕は何かに熱中出来ない性なんだ、と悲しく気づく。

特に日本で仕事に追われて日々を過ごしていると、金しばりに遭ったように身動き出来なくなる。

この国はなんて不自由な国なんだと。そしてその国で生活する理由など、本当に自分にはないのではないか、と。

漁師のオッチャン達と酒を酌み交わしていると、唐突に中東問題の質問をされた。話の内容は、パレスチナ人が悪いと思うのだが、どうしていつまでも戦うのか、といった内容だった。

言葉が出なかった。

戦争にどちらが悪いか、など言えない。

強いてあげれば、どちらの欲がえげつないか、という比較の仕方は出来るかもしれない。

今現在は中東全体の問題にまでなってしまったが。大もとは、〝入植者〟というのが原因なのではないか、と思われる。

知っての通り、ユダヤの民には国がなかった。

第二次世界大戦後、欧米の力を借りて国を作りあげた事によって他のイスラム国家にははっきりしたケンカの目的が出来た。

とりあえずその話はおいておく。

問題はその後、イスラエルはパレスチナ自治区にゆっくりと、しかし確実に〝入植者〟を送り込んでいる、という事実である。

考えてみてほしい、気がついたら自分の庭に力ずくで家を建てられていた。それでしょっちゅうケンカばかりしていると、今度はそいつらは扉をどんどんこちらへずらして来るんだから。

ついでに言うと、ケンカも強い。

しょうがない。そうくればこちとら力ずくでやり合うしかないだろう。

でもだからといってイスラエルが悪いとも言いきれない。

という事を話してみたが、あまりピンと来なかったらしい。

漁師のおっさん、イスラム国家は悪い奴らの国、とすっかり刷りこまれてしまったのか、それとも焼酎大五郎が効きすぎてしまったのか……。

言われてみると、僕は中東問題は遠くの国の話、ととらえていたところがあった。

今ひとつ現実味に欠ける発想しか浮かばない。

シオニズムとは一体何の事か。


以前、ひょんな事から千葉の片田舎のキャバレーに行った事がある。

イスラエルからやって来た若い娘が五人もホステスとして働いていた。

聞くと近くの民家を一軒借りて皆で共同生活をしているのだという。

後日、彼女達の家を訪れた。

建て売りの、まだ真新しい一軒家である。

「どこで、どうして見つけたの？」

そう聞くと、日本語で、

「オ・ト・コ」

と言い、ニヤッと笑った。

家電は型はかなり古いが思いつく物全てそろっている。

「どうしたの、これ」

「ぜーんぶ拾って来た。日本のゴミ、ゴミじゃあない。イスラエル人、動かなくなるまで何度も修理して使う」

招待してくれたお礼にギョーザを作ってあげる。

拾って来たホットプレートで焼いて皆で食べた。

ふと気づき、

「ユダヤ人、ブタ肉食べていいんだっけ？」

と質問すると、娘達ははずかしそうに頬を赤らめ、

「だって、ギョーザおいしい。ト、トンカツもおいしいんです」

テヘへ、と笑った。

国を離れ、宗教のがんじがらめも感じなくなると、少し自由になった、という事か。

流亡の民は強し、政治に利用される宗教よりも……。

3 家

もうあと数日で引っ越しをする。

僕達夫婦は共働きで、子供二人の面倒をどうしても見られない日が多い。

そうなると田舎から、どちらかのバアさんに子守りに来てもらわないとならなくなる。

ベビーシッターに来てもらっても間に合わなくなってしまった。

これだけ広いマンションが、狭く、仕事をしづらい空間になってしまった。

必要に迫られての引っ越しだ。

五年前、このマンションに僕が上がり込んだ時は、静かで生活しやすかった。

僕が安酒をあおってバカになり、宙に向かって大声で独り言をしゃべっている時や、酔っ払うと出て来る〝お友達〟に向かって叫んでいる時以外は、この部屋は静かで桃の中にいるイモ虫のように居心地がとても良い場所であった。

しかし、〝新居〟か……。どうもこの言葉に未だに慣れないでいる。

インドに取材に行っている間に、カミさんが勝手に土地を見つけて、総菜屋でコロッケを買うようにすぐさま買った。

身銭を払っていないからか、実感がない。

立派な家が出来上がったにもかかわらず、どうもヘソがこそばゆい。

先日、とある先輩小説家に、

「まあね、我々は、間借りしているようなものだから……」

と言われ妙に納得してしまった。

強がって、

「俺もここまでになったか」

とも思えないでいる。情けない。

一体男という生き物は、一生のうち何回引っ越しをするものなのだろうか。

指を折って数えてみた。

僕の場合は、今まで十三回住み家を変えた。

それが他人と比べて多いのか少ないのかは判らない。

辛い、思い出したくもない転居も何度もあった。

たいがい引っ越しというのは何かしらワクワクする出来事であって、隣りの部屋にいい女がいたらいいなぁと思ってみたり、窓からの眺めを楽しんだりと、ちょっとしたお祭り気分みたいな気持ちになる。

入ったアパートを三日で出た。

という事があった。

バンコクの安アパートでの出来事だった。

昼間物件を見に行った時、こぢんまりとして、静かで良いアパートだな、と思えた。

交通の便も良かったし、近所に大きなスーパーもあり、百メートルは続く長い屋台街もあった。

早速少ない荷物を持って来て、住む事にしたその夜、大変な事になった。

外で食事をすまし、部屋で一人メコンを飲んでいると、すぐ隣りの部屋から、女のくぐもった声がして来た。

どうも、しているらしい。それに時おり、ビビビッと変な音が聞こえて来る。

その音が大きく、小さく、変わっていた。

お隣りの姉ちゃんはしていたのだった。それも何やらオモチャを使って……。

艶っぽい女の呻き声が響いて来る。

しょうがない。

それをオカズに三発抜かせてもらった。

隣りの姉さんはいつまでも、飽きることなくほえ続け、いつの間にか僕は眠ってしまった。

夜中、大音響で目が覚めた。

タイで流行りのディスコミュージックが壁をふるわすほどの大音量で流れてくる。

どうやら大勢の連中がはしゃぎまくっているらしい。

時間は夜中の二時であった。

冗談じゃない。僕は朝から仕事があるのだ。

日本と違ってタイ人は他人の事をあまり気にしない。

自分さえ、今楽しい自分さえいればいい。そう思える、幸せな連中が多い。
ただ、向かいの僕にはたまったものじゃない。
甘ったるいガンジャの匂いもして来ている。
何度も眠ろうと努力した。
楽しんでいるタイ人に「やめろ」と言う方が無駄だと思い、眠る努力をしてみた。
一時間、二時間……。
一向に宴が終わる気配がない。
もうどうにでもなれ！　と思い、ドアを勢いよく開け、
「何時だと思ってるんだ、静かにしろ！」
と怒鳴ってやった。
八人の男がいた。
酒とハッパでどんよりとした眼をしている。
緩慢な動きで一人の男がやって来た。
「おまえ新入りか。吸うか？　上物だぞ！」
やけに大声で話しかけて来た。

他の連中は、もう僕の事など忘れたかのように踊り歌っていた。

「いらん。もう三時間もすれば仕事に行かなければいけない。静かにしてくれ！」

「…………」

「そんなにうるさいか？」

「はぁ？」

「俺はディスコのＤＪだ！　少し耳が悪い。もう少ししたら寝るから、なっ、もう少し。どうだ吸うか、女はいらんか？　どの女もオーケーだぞ」

女達に何事か話す男。女全員がセクシーポーズをとって見せ、ケケッときたならしく笑った。

ＤＪの仕事をして耳を悪くし、ついでにハッパで頭が遠いところへ行った奴が、真面目に僕の話を聞く訳がない。

あきらめて部屋にもどり、ベッドに入った。

奴らの狂宴はそれから一時間続き、その間ずっと眠れずにいた。

外が少しずつ明るくなっていった。

夜明けである。

すると今度は窓の外が騒がしくなった。

僕の部屋の真下がバイクタクシーの集合場所だったのだ。

最悪である。

アパートがやっと静かになったと思ったら今度はクマバチのようにビービーとうるさいバイク連中が客待ちに集まって来たのだ。

まんじりともせず朝を迎えた。

おねーちゃんの艶声から向かいの連中。そして、夜明けと共にバイクタクシーの音。

パチンコ屋と酒場、それにのぞき部屋に囲まれたようなアパートの一室であった。

僕がいた三日間、それが休む事なく続いたのである。

三日間他人のせいで、ほとんど寝る事が出来なかった。

タイ人に負けて、三日後アパートを引き払った。

あんなくそうるさい思い出はそうそう作れないだろうな。

今となっては、楽しかった気もする。

僕はカミさんと一緒になるまで、誰かと同居した、という事が一度もない。
いつもひとりであった。
それが普通だと思っていたのでそれほど寂しいなどと考えなかった。
自分と一緒に住む女が現れるとは考えてもいなかったし……。
バンコクで仕事をしていた時は、
――どうせすぐにくたばるんだから――
本当にそういう考えしか持っていなかった……。
また、そう思い込んでもいないと弱虫の僕は何かに押し潰されそうな気がしていた。

人を愛する。
という事から逃げていた。
理屈をつけて、〝生き延びたい〟と考え出す事が恐かった。
それが今となっては女と一緒に居、子供が一人出来、二人目も出来た。
その結果の一つの形が〝家〟となって目の前にある。
ヘソがやっぱりこそばゆい。

照れ臭いのでもなんでもない。
〝幸せ〟が恐い。
そんなもの、どーせすぐ壊れてどっかへ行ってしまうのだから。
つい、そう思ってしまう。
——どうせすぐ死ぬんだから——
今はあまりそう考えないようになった。
じゃあヘソがこそばゆいのはどうしてなのか。
風にまかせてふらふら……。ああそれもどこか懐かしい。

4 家族

ある女性と酒を酌み交わしていると、酔って彼女が急に自分の幼い頃の話をし始めた。

と言っても、ある時期、物心ついてから九歳までの記憶がほとんどないのだそうだ。

断片的な思い出の中で、二つの出来事だけが鮮明な記憶として忘れられないでいる。

と、もらしていた。

彼女は両親共働きの家で生活していた。

そのため彼女は両祖父母に育てられていたのだった。

しっかりとした記憶の一つ。

彼女は毎日フェラチオを強要させられていた。

それは風呂の中であったり、寝間であったり、納屋の暗がりであったり……。

毎日フェラチオをさせられていた。

誰なのか、顔は出て来ない。

口いっぱいに頬張っている男のモノしか思い出せなかった。

もう一つの記憶。

彼女の祖父が亡くなった。

葬式に出席して、心の底から嬉しかった。

晴れ晴れした気持ちであった事が、記憶に残っていた。

彼女は大人になって、男を憎悪している自分に気がつく。

セックスを何度してもイクことが出来ないでいた。

その時はまだ幼い頃の二つしかない思い出が、符合するまでにはいっていなかったのだそうだ。

彼女は仕事の関係から、少年院に入っていたヤクザの少年保護観察員となり、自分の小さなマンションに少年を住まわせ始めたそうだ。

少年には彼女がいた。

彼女も出所した少年のために、身の回りの面倒を見てあげていたらしい。

少年はひどいシャブ中であった。

出所してすぐに薬の味が忘れられず、手を出し、元通りの生活に逆戻りしてしまったらしい。

少年の彼女は彼に薬をやめさせようと必死になっていたが、薬が切れると少年は暴れ、彼女を殴りつけ、部屋中血みどろになってしまうのだそうだ。

その血だらけの光景を見ていると、彼女は不思議な気分になっている自分に気がついた。

安堵しているのだ。

癒されている自分に気がついたのだった。

二つの符号がピッタリと合わさった。

祖父に犯され続けていた事を、そのとき初めて思い出す。

あまりにつらい幼年期の思い出を全て消し去ってなお、頭をよぎる二つだけの記憶。

悩み苦しんでいた思い出が、少年たちの最悪な関係を見ているとオーバーラップしてきて、心底安らいでくる自分がいた。

私だけではなかった。

そう思える事で何より楽な気持ちになって行く、と言っていた。

さぞかしつらかったのだろう。

酒の量もひどかった。

心のバランスのひどく悪い彼女は、未だになるべく全てを忘れようと努力している。

二人でウィスキーが三本空いた。

心の弱い者同士が共鳴し合うとロクな事がない。

つぶし合いになってしまってよくない。

僕の父が脳梗塞で昨年の一月に倒れた。

脳が右半分死んでしまった。

それがどうしたことか、どこでどうやってスイッチが入ったのか、妄想がひどくなり自分で作り上げた世界の中だけで生きるようになってしまった。

ある日、リハビリ中の病院を抜け出してタクシーに乗り、母のいる実家へ帰って来るなり、

「死ねばよかったと思っているんだろ！」

と怒鳴りながら手に持っていたナイフで母を切りつけようとした。

ちょうど運良く兄がいたので、よいよいの父など簡単に取り押さえる事が出来たらしいが、母が相当ショックを受けたらしい。

父はそれからさらに強い薬を飲まされ続け、自分のした事などもう忘れてしまっている。

忘れられないのは母だ。

この親父と結婚してから、何も良い事などなかった。

家には最低限の金しか入れない父であった。

食べ盛りの僕たち二人を育てていくのはさぞかし苦しかったであろう。

飲んで酔っ払っては母の事を意味もなく責め立てて、僕らにも強く当たった。

愛情のカケラも家族に残さなかった父である。

その最後が、母を切りつけようとした。
父は精神病院送りが決まった。
もうこの世に出て来る事はあるまい。
母もこれからが本当の老後だと思っている事だろう。
父が精神病院に送られる日は七月二日である。
その日は父の六十九回目の誕生日である。
僕の三十七回目の誕生日、でもある。

幼年期に愛情を受けられない、というのは不幸以外の何ものでもない。
僕には家族がある。
子供たちも妻も大切にしてあげたい。これは本心からそう思っている。
しかし、どうしたらいいのか、僕には良い思い出がないのでよく判らない。
愛の少ない家に育った人は不幸だ……。
母は何のいわれもなく父に言葉でいじめられ続けた。
それは今回一緒に酔っ払った女性と同じようなもので、ひたすら毎日レイプされて来たのと同じだ。
いつの間にか母は思考することをやめる女になっていた。
怒る心をどっかにしまってまで、僕ら子供を守ろうとしてくれた。
そういうゆがんだ愛情なら、僕も知っている。
そのマネなら出来るか……。
そのマネから始めようか……。

5 父と母

母の人生は人の世話をずっとするためにあった。

四国育ちの母と、中国大陸生まれの父が、どのようにして東京で出会ったのかは、何度か聞いたのだが、どうもその手の話は気恥ずかしいのか、詳しく話してくれた事は一度もない。

結婚して今年で四十年になる。

どうしようもなく気が小さく、外では飲んでも人と話の出来ない、対人関係の悪い父は当然出世出来る訳もなく、もともとわがままな性格の昭和一ケタ生まれの男が、女に対してやさしいはずもなく、年を取れば取るほどに、外では気が小さくおどおどし、家では横暴きわまりなくなっていった。

家でわがままにいばりくさり、偉いふりをする父を恨んだ。

同じ男として、ああはなるまい、といつも思っていた。

当り前に夫婦関係も悪く、何度も離婚の話が持ち上がったが、そこでもいつも母が一歩引いて、我慢していた。

その父が、この間倒れた。

脳梗塞だった。

「右半分が広範囲にわたって死んでいます。左半分はこれからリハビリでどこまで動くようになるか、今は何も言えません。その前に症状が急変するともかぎりませんし……」

医者はそう言った。

救急医療センターのICUに担ぎ込まれた父の顔はダラリと下にたれ下がり、目もうつろで腐りかけの魚の目のようだった。

とても見ていられなかった。

「よく来たな」

ぼそりと一言言うと眠りこけてしまった。

動く方の右の手はしっかりとベッドのへりをつかんでいた。

僕の横にいた母は、そんな父の胸に手をおいて、
「うんうん、大丈夫」
と言いながら泣きこらえていた。
何の涙か、と僕は見ていた。
苦労ばかりかけられて、夫婦喧嘩は絶えず、ちっとも幸せではなかっただろう。
何のための涙か……。
夫婦という共同体はますますもって不思議である。
病院から帰ってからも、母はおかしかった。
まだ腹も減っていないのに、突然メシを炊き始めた。
部屋中に掃除機をうるさくかけ、洗濯を始める。
終わったかと思うと父の写真を持ち出し、
「どれがいいか」
と言い出した。
葬式用の写真を選べ、と僕に言うのだ。
何を言うのか、と思っていると今度は急に、ふらりと出掛けて行き、近くの電気屋

で全て合わせると四十万円近くもするパソコンを買って来た。

「きっとリハビリにいいだろう」

と言ってのけた。

横浜に住んでいる兄にも電話をし、すぐに来てもらう事にした。

父は、もういい。

死ぬか、生きるか。脳が死んでしまうか。僕らがそんなことを考えても意味がない。医者と、父の体力のみぞ知ることだ。

母を一人にしておく事が心配だった。

何をしでかすか全く判らない。

父が倒れて今日で十日経つ。

母は未だにやっている事につじつまが合わない事が多い。

父も少しずつではあるが良くなって来ている。

だが意識の混濁がいつまでたっても治らない。

「ああ、悪いなあこんなところまで来させてしまって、仕事出来ないだろう」

僕が病院に来てくれた、と気づく事もある。

しかしたいがい自分は家にいると思い込んで、今まで通りのわがままぶりで、母をこき使っていた時のように看護婦に迷惑をかけているらしい。

体半分が使えない、という事も忘れてベッドから何度も抜け出そうとしたのだろう。

腰に身動き出来ないようにベルトがしてあった。

ある時兄の顔を見て、

「おい、お前の作ったその二つの箱どこかへやってくれ……」

箱なぞ近くにないのだ。

「その箱の中からほら、また小さな虫が出て来た、あいつらがな、口の中にいっぱい入って来て、気持ち悪いんだよ、だからその箱持って帰ってくれよ……」

僕らには見えない物が見えている。

末期のアル中のようなものか……。

父の唯一の趣味は釣りであった。

竿もいつも近くにあるらしい。

「ベッドから出られないんだよ、だから、その竿を取ってくれ、糸がからんじゃってるから、直さなくちゃ、ホラよこせって言うんだよ」

持って来いと言われてもそんな物はどこにもない。

仕方ないので母が、

「今看護婦さんに渡してしまったから。部屋で竿を持ったりしたらだめなんですって」

三歳児にでも判るウソを言っていた。しかし看護婦さんは恐ろしいのか「そうかぁ」と言ってそのまま黙ってしまった。

自分の父のことを尊敬した事も、愛した事も一度も僕はないが、肉親がだめになって行く姿を見る、というのは何とも嫌なものだ。

せめてもの救いは、母ではなくそれが父であった、という事。

ましてや僕の子供達ではなかった、という事だ。もしも子供がこんな風に、と考えるだけでも胸のつまる思いがする、今こうして父の姿をじっと見つめていると、順番通りで正しい事だったのかも、と思えてしまう。

先日いつものように母と連れ立って見舞いに行くと父がニコニコと笑っていた。

「いやあ、おまえも偉いなコツコツと」

訳の判らない話をし出した。

「おまえ一人で立派なホテルを作ってさ、偉いもんだよ……」

どうやら父の壊れた頭では、僕がホテルを建てた事になっているらしい。

「あんな寒いところで雪まみれになっても、一人でコツコツ建てたんだからなあ、寒かっただろうな、本当にたいしたもんだよ」

「そんな事もなかったよ」

適当に話を合わせた。

「いやあオレがちゃんと言っておいてやったからな、ウォシュレットだけは立派なのにしてくれって、あれだけは一番いいのじゃないとな、ケツが汚れていて気持ち悪くってしょうがないから……」

その話を横で聞いていた母がそっと父の腰のあたりをさわって、看護婦の方に行った。

ウンコをもらしていたのだった。

帰りしな、看護婦と何やら話し込んでいる母、何度も何度も頭を下げていた。

車の中で聞いてみた。

「何話してたの」と。

父が用もないのに一日に何百回もナースコールを押し続けているんだ、と言われた、と。

「お宅でもわがままだったのですね」と言われたと。母は誰かに申し訳なさそうな顔をして長いため息をついた。

母の涙の理由が少しだけ判った気がした。

一人の男のわがままを聞き通したおかげで、料理も酒も、言う通りに作って出したせいでこんな体にしてしまった、と。

反省しているのだ。

自分がもっと父の体の事を考えて、好きな物ばかりを与えなければよかった、と思っているのだろう。

半死になっても母に、母と思い込んでいる看護婦に、わがままを言い続ける父に腹が立ってしょうがなかった。

その夜、寝つけない母と朝まで話をした。
一滴も飲めない酒を母は口にしていた。
これからのリハビリの事を考え、家を作り変えなければ、などと話し合っていた。
母が急に、
「本音はね、本音はやっぱりこのまま死んでほしかったの」
と一言つぶやいた。
しばらく留守にしていた家から電話がかかって来た。
「娘がやっと寝返りが打てるようになった」と。
父の脳がやられ、娘の脳の回路が繋がりつつある。
やっぱり順番通りだったんだ。

6
妻

本当のところ、僕はここ数ヵ月、日本に帰っていない。

いや、真実を言うと、六月末に三日だけ家にいました。

ゲッツ板谷との例の紀行文作りに韓国へ一ヵ月ほど行き、そろそろ帰国も近づいた時に、あるタイ在住の友人に不幸があったと連絡が入って、

「これは行くしかないな……」

と、カミさんにタイ行きのチケットを買っておいてもらった。

それなりにくたびれて家に帰って来た。

知っている方もおいでだと思いますが、我が家は出来たばっかかり。

ピッカピカで大きくて居心地が良くて、ここでゆっくりしていればもうひとり子供などすぐ出来ちゃうような幸せな家なんだけど……。

広い仕事部屋も出来た。

よっしゃ！　これでかねてから出来なかった作品にも手が出せるぞ！　と思ったらそうならない。

もどる小屋が立派になればなるほど、野良のオスという生き物はどうにもモゾモゾと落ち着きがなくなる。

日が傾き始めると……。

「ちょっと出て来るわ」

と言っては夜な夜な外へくり出し、真っすぐ歩けなくなるまで酔っ払う毎日となってしまっていた。

長男までもが、

「カアさん、ちょっと出て来るから」

と僕の真似をする始末。

意地の悪い事にカミさんまで調子に乗って子供に向かって、

「どこ行くの？」

と、のたまう。

すると息子は
「う、うん、ちょ……ちょっとそこまで」

口ごもるところまで真似をして僕のゲタでドアを開けて外へ出る。

無論奴は飲み屋など知らないので玄関先で虫をつかまえて、ものの五分で「ただいまー」と元気よく帰って来るのだが、それを見ていると僕としてはなんともツライ。オスとして情けない。

カミさんの顔を盗み見ると笑っているのだけれど、目が笑ってない。

この時の彼女の心が実はとても怖い。

恨みの貯金箱に溜めているのだ。

やばいやばいと思いながら、いつの間にか日が過ぎ、韓国から帰国した日にそれはやはりやって来た。

微笑みながら……。

「三ヵ月のオープンチケット買っといたから、友達のお見舞い終わったからって帰って来なくていいから。仕事全部終わらせて来てくださいね」

という事で、まだこの国にいる。

という事でまだ終わっていないのです。

情けない男だこと、俺って……。

ついでに情けない話、その二。

タイのビザは一ヵ月。それが過ぎたので今からカンボジアに一度出て来なくてはならない。

仕事終わってないのに……。

情けない話、その三。

金が一銭もなくなってカミさんに送金してもらっちゃったんだよ、俺のバカは。

そして情けない話、その四。これが最も情けない。

仕事が進まない。ホテルに閉じこもってじっとしていて何も出来ない。

しょうがない、酒でも飲むか。と、飲み始めると止まらなくなってしまう。

それだけならまだいい。

体を自分勝手に弱らせて、何やら妙な高熱を出してしまった。

体温計など旅先に持ち歩く訳がない。

でも、体中の節々が痛む。モーレツに痛む。これはかなりひどい。

持参した薬を飲み続けてじっとベッドの上で唸り続けていると、扁桃腺まで痛み出した。

三日唸り続けて、どうにも我慢ならず、バンコク市内にある病院へと向かった。

もう話そうにも舌が詰まって、痛みで声がろくに出ない。

「どうしましたか？」

看護婦さんがやさしく話しかけてくれた。

「の、喉が、痛くて、たまりません」

十分ほど待たされて若い医者がやって来た。

木ベラで舌を押さえて光を当てられる。

それだけでも飛び上がりそうになるほど痛い。

「あーあ、ひどいです。入院ですね」

「い、いやあのビザが切れてしまうので、薬ください。タイを明日までに出なくてはならないので……」

「いやこれだけひどいと入院しないと治らないですよ。薬飲んでるだけじゃ、治りませんね」

「何日くらい……」

「二、三日ですか」

仕事が手につかず、酒に逃げて、おまけに体力をなくして妙な病気になってしまう。

お話にならなかった。

ついでに病気になど絶対ならない自信があったので、保険にすら入っていなかった。間違いなく、高くつくはずだ。金はまだカミさんから届いていない。

採血され、ベッドに横になっていると、日本語の出来る娘が現れた。

「あのー今日は一人部屋も二人部屋もいっぱいです。四人部屋なら……」

出ない声をふり絞ってもがいた。

「あのさ、あんたら保険でもーけてんだから入院費安くしてよ！」

「えー、あのー、あなたは保険に入っていないのですか？」

「入ってるわけねーじゃねーか！　ほんの二週間で帰ろーと思ってたんだよ！　それなのに……まあそれはこっちの話か、まあいいから、とにかく安くしてくれよ。もう金持ってねーんだからさ！」

ふん！　とした顔をしたかと思うと、こっちがタイ語が出来ないと思ってカーテンの向こうで散々な事を言っていた。

「なにさあの日本人。保険に入ってないから安くしろですって、金がないなら来なければいいのよ！　ビンボーなくせに、本当これだから日本人ってイヤよ」

飛び上がってぶん殴ってやろうか！　と思っていた時、丁度採血をしてくれた看護婦がやって来た。彼女とはタイ語でやりとりをしていたので、僕がどう思っているか判ったのだろう、「シッ」と小さな声が聞こえたかと思うと、向こうからボソボソと話し声が聞こえて、途端に悪口を言っていた娘がどこかへ慌てて電話をかけ始めた。

電話の向こうは会計のようであった。

言葉はもうとっても丁寧なタイ語である。

僕にもよく聞こえるように大きな声で電話口で話していた。

「日本人の方が保険に入っていない様子で、……はい、それで安くならないかと相談されてまして、……はい……」

そのまま彼女はどこかへと消えてしまった。

しばらく部屋が決まるまでの間、患者達が寝かされているその場所で僕のカーテンを開けて様子を見に来るものはいなかった。

僕のほかに四人の病人がいたが、すでに全員どこかの病室へと搬送されて行った。

僕ひとりとなった。

熱と体中、特に喉がモーレツに痛む。

一刻も早く部屋へ入れてもらい、注射なり浣腸なり、モルヒネなりを……。えい！

何とかしてくれ！　と怒鳴ってしまいたいのに誰も見に来てくれない。

体をさすってくれるだけでも嬉しいのに……。

寂しい一時間が過ぎた。

ひとりの女が突然カーテンを開けて入って来た。ああこれでなんとかなる。と思ったら大間違いだった。

「当病院の規則として入院する方にはまず五千バーツ（約一万五千円）入金していただくシステムになっております」

おいおい五千て急に言われて、そんなに持ってたっけ、と思いポケットの中の札を握り出して調べてみると……ははは、あったよ。五千三十三バーツ。

三十三バーツしか残らないまま入院。

金払ったらその後の動きの早い事。
ものの十分もしないうちに大部屋へ連れて行かれました。
しかしこの部屋がひどかった。
ひどいメンツが寝ころがっていましたよ。
ってことで、この話は第2話の後半部に続きます。

7 手乗り鹿

季節の変わり目というのはどうも心が落ち着かなくてしょうがない。

そこへ来て急に仕事が増えてしまってゆっくり酒を飲みながら本を読む、なんて事も出来ないでいる。

そんな事を言うと勘違いされそうだが、でも酒は飲んでいる。

気がせいたまま飲んでいる。

まるで品川駅の構内にある居酒屋で千円セットを飲んでいるような、なんともイライラしながら悪酔いする酒をあおっている。

五年ぶりにテレビの仕事でベトナムへ行って来た。

三泊四日という少ない日数でロケをして帰る、という無理な取材旅行であった。

それも、その日数で野生の手乗り鹿を見つけ出し、しっかりと撮影して帰る、というものだった。

ベトナム語で、コン・チェオと呼ばれる、成長しても体長四十〜五十センチほどにしかならず、体重は二キロもないであろう、そんな小さな鹿が、東南アジアのジャングルに生息していて、そしてベトナムではその小さな鹿はペットとしてよりも、おいしい食べ物として、人知れず静かに何処かで調理され、人々の胃を満たしているのだった。

その事はゲッツ板谷の書いた『ベトナム怪人紀行』（スターツ出版）に書かれているのでヒマな人は読んでみてください。

お世話になったとあるTVディレクターがそれを読み、是非取材したい、と僕のところに連絡をよこして来たのだった。

ひと通り僕の知っているかぎりのコン・チェオの情報を知らせると、電話口の向こうで、

「今、忙しいの？」

「ええ、ここんところ書き仕事が増えちゃって、海外にも出ていません……」

「手乗り鹿、見に行きたくない？」

「そりゃ、見に行きたいですヨ……」

「じゃ、行こう」

「ええっ、だって四年もビデオカメラ担いでないんですヨ……」

「行きますか、行きませんか？」

まるでとある番組のようだ。そう言われると何だか断れない。結局、「行く」と言ってしまった。

「ハイ、じゃあ出発は三日後だから、よろしく……」

電話が切れたあと、言いようのない不安が広がった。俺が何をするのか、はっきりと聞いていなかった。

ベトナムの森の中には、南、北アメリカ大陸を歩いて通した、あのDのIさん（太ってる方）と一緒に行く事になった。

なかなか良い青年であった。

あまりにも清々しい青年であった。

正直な気持ちを彼には伝えなかったが、芸人という生き物は、もっとはしっこく、おどろおどろしいものが必要なのではないか、と思っていた。

それなのに彼は心の底からおおらかで、気さくな男であった。

僕はあの番組を見ていていつも思っている事があった。

苦労して長旅を終えて、彼ら若手の芸人さん達の顔が、なんと美しい顔に変わっているか、という事だった。

上から言われた事を額面通りに受け止め、なおかつやり通したあとの彼らの表情の変化。

あの番組で人気は一時期どっと上がるであろう。

しかし、芸人という、終わる事のない商いを一生していく上で、その旅に出た一年や二年が、とり返しのつかない遠回りになっているような気もする。

彼は本当にいい男だった。

たった三日の間だが、何かと旅の話をしていた。

彼は、二十三の時に旅に出たのだった。

僕と一緒だった。

彼は色々な人と出会い、驚き、苦しみ、一年二ヵ月を経て帰国した。

熱っぽく語る彼の目は、全ての出来事が今でも目の前で繰り広げられているかのように、潤んでいた。

彼はヒッチハイクでよく乗せてもらった車を懐かしみ、日本で同様のアメ車のトラックに乗っている、と言っていた。

言葉のはしはしに、今日本で生活している事のもどかしさを匂わせていた。

若者の悩み、そのものである。

これからどうなるんだろう……。

不安感。

彼は旅が終わって、初めて自分の気持ちに気づいたらしかった。

「スペイン語習ってるんです」

そっと話してくれた。

「本当はまだ終わりにしたくなかったんだ」という事を。

痛いほどその気持ちが理解できたが、その事を彼には伝えなかった。

次は全て自分で決めなくてはならない。そこまで彼は気づいているからだった。

彼らは旅をしながら日記をつけていた。

例のTディレクターがこう言った、と教えてくれた。

「僕がもし〝土地の人に優しくしてもらって、大変嬉しかった〟なんて事を書いてよこしたらぶん殴ってやろうと思っていた、って言ったんですよ。どうしてですかね……」

「で、Iさんはどういった事を書いたんですか?」

「ええ、〝今日も生きていた〟って書いたんです……」

本音を言う事にした。

「それはね、僕はこう思うんです。Tさんはあなたに〝留まるな!〟と言い続けたんですね。人の優しさに触れる、という事はどこかに留まることですよね。守りに入るというか、それを許さない、という事ですね」

「ああ……そうか……」

「Tさんは今もどかしそうにしているあなたを見て同じように〝留まるな、守るな!〟と言いたがっていると思いますヨ」

最後の言葉は腹の中にしまっておいた。

彼に言う言葉ではない。僕自身に言い続けなくてはいけない言葉であった。

僕達は三日間ジャングルに入り、ヒルに血を吸われ、マラリア蚊から身を守り、大蛇を見つけてははしゃぎまくり、手乗り鹿らしき生き物のシッポだけを撮影出来て、そして日本へ帰国した。

シンガポール経由の飛行機に乗り込む前、乗った後、丸一日僕は酒を飲み続けた。何か心がザラザラした。痛いような、痒いような、イライラした気分がおさまらず、ビール、ウィスキー、ワイン、ありとあらゆる酒を飲み続けた。

何だったのだろうか。

僕は手乗り鹿が見たかったのだろうか。

いや、そうじゃない。

僕はもう一度、食ってみたかったんだ。

ベトナム人と一緒に卓を囲んで酒を飲みながら、食いたかったんだ。

テレビという媒体の中で、僕は鹿を見ては「かわいいねー」などと、おどけていた。

そうじゃない。そのかわいい奴をしめて、皮をはいで、調理するまでを見とどけたかったんだ。

人の〝業《ごう》〟の深さが僕にとっていつでも見とどけたいテーマだという事が、今回改めて判ったような気がする。

何かをしながら年老いていく訳だが、何をしようが、本人次第という事かも知れない。

「留まるな、守るな」

もう一度自分に言いたい。

気をつけなくては……。

新しい仕事がまたいくつか始まる。

ずっとしなくてはならなかったのに、放っておいた仕事も、ついに手を出さざるを得なくなった。

その調べ事も山程ある。

何ともやりきれない。

そんなこんなで今年もいつの間にか終わるのだろうな。

死ぬまでこんな事を続けていくのだろうか。
まあ、でもやっぱり、
「留まってはいけないし、守ってもいけない」のだろう。

あとがき

あっちにそれ、よろよろと話に落ち着きがなく、書いてる本人すら何を言いたいのかさっぱり判らないこの本の元になったのは、今から約六年ほど前に始まり、二年近く続けられたコラムをよせ集めたものだ。

帰国を決め、宿六呼ばわりされているのも癪にさわるので、何か出来る仕事はないものかと思いめぐらしていると、ある日サイバラが、

「あんた何か書いてみたら」

と唐突に話し出し、そのまま受話器をつかむとどこかへと電話をかけた。

「明日浅草で人と会う事にしたから」

急に何かが動き出した。

翌日出向いた先は〝うずまき〟というゲイバーで、内心、

「何で打ち合わせにゲイバーなんだ」

と不思議に思いながらも扉を開くと全員、ヒゲづらで、いやに太った男達が〝ギッ〟とこちらを見つめた。

カウンターに待っていたのが、雑誌『さぶ』の編集をしていたY君であった。

「サイバラさんて私達の間でファンが多いんです。カモシダさんがタイプってあまり聞きませんけれど、サイバラさんのカットに何かエッセイがあればすごくうれしいんですぅ」

タイプじゃないし、つけたしか……。

ええい気にするなそんな事。初めての連載仕事をもらえたのではないか。

特殊な雑誌であったので、ごく一部の人々にしか読まれる事はなかったが、読者の反応は辛辣で、明晰。こまかな部分まで見事に批判してくださり、毎回いい勉強になった。

『さぶ』を手にする人々の必死に読みあさる姿が目に浮かぶようで、どうしても肩に力が入りすぎ、いつも反省ばかりしながらあっという間に二年が過ぎた。

Y君からある日申し訳なさそうに電話が入る。

「売れ入きが悪くて、廃刊が決まってしまいました」

受話器の向こうでY君の声が涙ぐんでいる。

何十年も続いた雑誌が消えてなくなるのだ。

さぞかしつらかっただろう。


たまった原稿は仕事場でほこりをかぶり、忘れ去られるままになった。

札幌のドイが上京して来た。

「いやあカモさあ、なんか仕事してくんないかい、サイバラさんと一緒に」

奴の言い方に、前にも聞いた覚えがあるなあ、とふとY君と一緒にして来た仕事を思い出した。

「これならあるけれど」

『さぶ』の原稿を見せると、

「いただきます！　サイバラさんにもっとマンガ描いてもらって、と……」

このようないきさつで一冊にまとまる事になりました。

何にせよ廃刊になった雑誌の名残りがここに生き返ったのです。ありがたい気持ちです。

Y君。

札幌・寿郎社の良き友、土肥寿郎。

妻の西原理恵子様。

ありがとうございました。

二〇〇三年四月七日　　鴨志田 穣

【文庫版によせて】

土肥寿郎

二〇〇七年三月二〇日に鴨志田穣《ゆたか》は腎臓がんで永眠した。享年四二。「お別れの会」は四月二八日に東京パレスホテルで行なわれた。親族や友人、関係者のほか多くのファン（読者）が全国から参列して一二〇〇人以上の会となり、わたしを含む主催者らを驚かせた。

故人を偲《しの》ぶ関係者の言葉の中で、特に講談社の土屋和夫氏の話が印象に残った。土屋氏は『小説現代』編集長時代の九八年に西原理恵子・鴨志田穣コンビの連載「アジアパー伝」を手がけて以来、部署が変わっても鴨志田穣と最後まで付き合い続けた唯一の編集者だ。

「カモちゃんにはいいところもあったし、悪い状態の時にはイヤなところもあった。

そのどっちもがカモちゃんだった」ということを土屋氏は淡々と述べた。

※

本書の親本（単行本）は、二〇〇三年五月にわたしが経営する札幌の出版社「寿郎社」から上梓《じょうし》した。その頃の前後数年が、まさに鴨志田穣の最も悪い状態の時だった。（本文中に収録されている西原理恵子氏の漫画を見てもそのことが感じられる。）

刊行時、鴨志田は『小説現代』で連載していた旅コラム（のちに『日本はじっこ自滅旅』として刊行）の取材で九州から沖縄を放浪していた。実際は西原理恵子氏に帰宅を拒否されて、東京に帰りたくても帰れない状態だった。もちろん旅先では毎日浴びるように酒を飲んでいた。完全なアルコール依存症だった。そして那覇《なは》で吐血して倒れ、緊急入院してしまった。その話をわたしは電話した東京の西原氏から聞いて、出来上がったばかりの『カモちゃんの今日も煮え煮え』を持って那覇の病院まで見舞いに行った。

それからしばらくして鴨志田は西原氏と正式に離婚し、酒を飲んでは吐血して入退院を繰り返す。

※

わたしが鴨志田穣と出会ったのは札幌の高校生だった一六歳の頃だ。アイビールックで決めたおしゃれな遊び人、というのがその頃の彼の印象だった。当時、鴨志田は通っていた高校になじめず、中学時代の友達がいるわたしの高校によく遊びにきていた。

鴨志田と本当に親しくなったのは高校卒業後、それぞれが上京して東京で再会してからだった。鴨志田は「鳥田むら」という新宿三丁目の焼鳥屋に住み込みで働き、わたしは高田馬場の編集プロダクションでアルバイトをしていた。これに新宿二丁目のヘアサロンでオカマ相手に髪を切っていた柳本哲也という高校時代の仲間が加わり、鴨志田の店が終わってから三人でよく新宿を飲み歩いた。二一、二歳の頃だ。

その後、鴨志田は店を辞めカメラマンをめざしてタイに渡り、わたしは神田駿河台《するがだい》の小さな出版社に入った。柳本は札幌に戻って店を持った。そうして年に一度会うか会わないかという関係になった。

三〇歳を過ぎてお互い仕事が忙しくなり、会う機会が激減していた時期、久しぶりに鴨志田が電話をしてきた。

「オレ、結婚することになったから」――

寝耳に水だったのでわたしは驚き、「相手はどんな人だ」と聞いた。しかし「ドイも知ってる人だよ。有名な漫画家なんだ」と、もったいぶって鴨志田はなかなか話さない。わたしがイライラしてさらに問うと、ようやく「サ・イ・バ・ラ・リ・エ・コ」と言った。

わたしは一瞬言葉を失った。そして出てきた言葉が「お前にも運が向いてきたなあ」だった。その時のことを鴨志田はずっと覚えていて、よく酔っては文句を言った。

西原氏と勝谷誠彦氏の共著『鳥頭紀行ジャングル編』（スターツ出版）の取材に同行した鴨志田穣はこうして一九九六年に西原理恵子氏と結婚。翌年長男が生まれる。そして二人目を西原氏が身ごもった頃、わたしは実家の事情で札幌へ戻り、二〇〇〇年に出版社を立ち上げた。その後、本書「あとがき」にあるように、作家としての鴨志田穣と西原理恵子氏にわたしは編集者としてこの仕事を依頼して引き受けてもらう。

※

本書に収録された文章のうち第一話と第二話が二〇〇二〜〇三年当時の書き下ろし、第三話以降は今はなきゲイ雑誌『さぶ』（サン出版）に一九九九〜二〇〇一年に発表されたものである。

『さぶ』の連載が始まる前の九八年に、鴨志田穣はゲッツ板谷氏・西原氏との共著として初めての単行本『タイ怪人紀行』（スターツ出版）を出版している。これはガイド兼カメラマンとしての仕事であり、文章を書き出したのはこの『さぶ』の連載と、その少し前に始まった『小説現代』でのアジアパー伝シリーズが最初である。

『さぶ』のエッセイは、お世辞にも上手《うま》い文章ではない。というより、鴨志田自身が書いているように「あっちにそれ、よろよろと話に落ち着きがなく、書いてる本人すら何を言いたいのかさっぱり判らない」原稿だらけで、なかには明らかに酔っぱらって書いている原稿もあった。そうした原稿をはずしていくと、一冊の単行本にまとめるには分量が足りないため、わたしは三ヵ月間で一〇〇枚以上の書き下ろしを加えることを出版の条件とした。

そうして書いたのが第一話・第二話の合わせて八〇枚ほど。これだけを書くのに一年六ヵ月を要し、札幌のホテルに〝カンヅメ〟になった回数はその間、七、八回である。原稿の分量も十分ではなく、仕方なくボツにした『さぶ』の原稿の中からいくつかの原稿を復活させたりした。例えば第七話の「いいじゃないか、負けたって」や「妻」などである。

原稿依頼から出版までの二年近くの中で、わたしも鴨志田とはほうぼうで大酒を飲み、気分転換と称して一緒に旅にも出ていたので鴨志田ひとりを責められない。それでも、ホテルにこもって一行も書かずに酒ばかり飲んでいた鴨志田とはずいぶん喧嘩をした。くだらない意地の張り合いから絶縁しかけたこともある。しかし、曲がりなりにも出版できたこの本のおかげで寿郎社という出版社が認知され、また経営的にもたいへん助けられたことは紛れもない事実であって、鴨志田穣と西原理恵子氏にはいくら感謝しても感謝しきれない。本当に苦しかった時には二人から金だって借りている。

※

この本の講談社文庫化が決まったのは、鴨志田穣がアルコール依存症の治療中に見つかったがんのために西原氏と復縁して自宅療養中のことだった。文庫化にあたって鴨志田とは「原稿の手直しとさらなる書き下ろしが必要」ということを確認していたが、その時間をとる間もなく逝ってしまったため、単行本当時のままの文章で出さざるをえない。

ただ、わたしが単行本の担当兼長年の友人ということを割り引いてみても、当時まずいと思っていた鴨志田の文章を改めて読んでみて思うことが一つある。それは、文章の巧拙《こうせつ》とは別の次元で、彼にしか書けないことが確かにあったということだ。

よい文章を書くコツを井上ひさし氏は「あなたにしか書けない事をあなたの言葉で」と言っているが、まさに鴨志田しか体験しえない事柄が彼自身の言葉で綴られている。そこには彼独自の目線の低さとさまざまな事象を見すえる時の視角の面白さがある。それはまた西原漫画とも共通していて、彼の作品の最大の魅力ではないかと思う。

※

鴨志田穣の最後の単行本は二〇〇六年一一月に刊行された『酔いがさめたら、うちに帰ろう。』(スターツ出版)である。アルコール依存症を克服する過程を正直に描いたこの作品は、二〇〇八年夏の公開をめざして現在映画化が進んでいる。監督は東陽一氏。詳細は今秋予定されている制作発表会で明らかにされる。

また、鴨志田穣が作詞した「戦場カメラマンの歌」など数曲が収録されたCDブックが、西原理恵子氏の漫画付きで今秋発売予定だとも聞く。

新たな作品は読めなくなってしまったが、本書のような文庫化を含めて、別なかたちで彼の息遣いや視線に触れる機会は今後まだまだありそうである。そうであるかぎり、アジアを、世界を旅する者たちに彼は影響を与え続けるだろう。憧れていた本格的な報道写真家にならずに（なれずに）、いっけん誰にでも書けそうな文章で多くの読者の心をつかんだ鴨志田穣は、彼にしかできない仕事を全うしたのである。

（どいじゅろう・寿郎社代表）

◎初出◎

鴨志田穣

第1話・第2話……書き下ろし

第3話〜第7話……『さぶ』一九九九年六月号〜二〇〇一年一一月号

西原理恵子

巻頭漫画……描き下ろし

「鴨志田穣のめざせ日僑への道」……『激爆パチスロ王』一九九八年vol.6、一九九九年五月号〜一二月号、二〇〇〇年一月号〜七月号、一〇月号〜一二月号、二〇〇一年一〜二月号

●本書は二〇〇三年五月、寿郎社から刊行されたものを文庫化したものです。

|著者|鴨志田 穣　1964年神奈川県生まれ。高校を卒業後、風来坊生活を続けるが、なんとなく片道切符でタイへ。現地でひょんなことからビデオカメラ片手のフリージャーナリストに。著書に5巻にわたる『アジアパー伝』のシリーズのほか、『日本はじっこ自滅旅』『酔いがさめたら、うちに帰ろう。』など。2007年3月、腎臓がんのため死去。

西原理恵子　1964年高知県生まれ。強烈な作風で大人気の漫画家。『ぼくんち』で文春漫画賞を受賞。他の著書に『営業ものがたり』で完結した、ものがたり三部作、『毎日かあさん』『ちくろ幼稚園』『サイバラ茸』『できるかな』のシリーズ、『パーマネント野ばら』『いけちゃんとぼく』など。

カモちゃんの今日《きょう》も煮《に》え煮《に》え

鴨志田《かもしだ》 穣《ゆたか》｜西原理恵子《さいばらりえこ》
© Chiyuki Kamoshida © Rieko Saibara 2007

講談社文庫

定価はカバーに
表示してあります

2007年7月13日第1刷発行

発行者——野間佐和子
発行所——株式会社 講談社
東京都文京区音羽2-12-21　〒112-8001
電話 出版部 (03) 5395-3510
販売部 (03) 5395-5817
業務部 (03) 5395-3615

Printed in Japan

デザイン—菊地信義
本文データ制作—講談社プリプレス制作部
印刷———豊国印刷株式会社
製本———株式会社国宝社

落丁本・乱丁本は購入書店名を明記のうえ、小社業務部あてにお送りください。送料は小社負担にてお取替えします。なお、この本の内容についてのお問い合わせは文庫出版部あてにお願いいたします。

ISBN978-4-06-275781-2

本書の無断複写(コピー)は著作権法上での例外を除き、禁じられています。

講談社文庫刊行の辞

二十一世紀の到来を目睫に望みながら、われわれはいま、人類史上かつて例を見ない巨大な転換期をむかえようとしている。

世界も、日本も、激動の予兆に対する期待とおののきを内に蔵して、未知の時代に歩み入ろうとしている。このときにあたり、創業の人野間清治の「ナショナル・エデュケイター」への志を現代に甦らせようと意図して、われわれはここに古今の文芸作品はいうまでもなく、ひろく人文・社会・自然の諸科学から東西の名著を網羅する、新しい綜合文庫の発刊を決意した。

激動の転換期はまた断絶の時代である。われわれは戦後二十五年間の出版文化のありかたへの深い反省をこめて、この断絶の時代にあえて人間的な持続を求めようとする。いたずらに浮薄な商業主義のあだ花を追い求めることなく、長期にわたって良書に生命をあたえようとつとめるところにしか、今後の出版文化の真の繁栄はあり得ないと信じるからである。

同時にわれわれはこの綜合文庫の刊行を通じて、人文・社会・自然の諸科学が、結局人間の学にほかならないことを立証しようと願っている。かつて知識とは、「汝自身を知る」ことにつきていた。現代社会の瑣末な情報の氾濫のなかから、力強い知識の源泉を掘り起し、技術文明のただなかに、生きた人間の姿を復活させること。それこそわれわれの切なる希求である。

われわれは権威に盲従せず、俗流に媚びることなく、渾然一体となって日本の「草の根」をかたちづくる若く新しい世代の人々に、心をこめてこの新しい綜合文庫をおくり届けたい。それは知識の泉であるとともに感受性のふるさとであり、もっとも有機的に組織され、社会に開かれた万人のための大学をめざしている。大方の支援と協力を衷心より切望してやまない。

一九七一年七月

野間省一

講談社文庫 最新刊

宇江佐真理
卵のふわふわ
八丁堀喰い物草紙・江戸前でもなし
傷心ののぶを癒す、喰い道楽の舅の心優しい言葉。江戸を彩る食べ物と人情の温かい物語。

阿部和重
グランド・フィナーレ
神町《じんまち》――土地の因縁が紡ぐ物語。ここで何が終わり、始まったのか。第132回芥川賞受賞作。

吉田修一
ランドマーク
設計士と鉄筋工、大宮にそびえ立つ35階建てのビルを舞台に、ふたりの運命が交差する。

阿川佐和子
マチルデの肖像
〈恋する音楽小説2〉
名曲の背景に思いを馳せ、せつなく優しく、時に悲しい想いを紡いだ16の短編小説たち。

池波正太郎
新装版 **抜討ち半九郎**
殺し、強盗、そして逃亡。苦い人生を急ぐ男を鮮烈に描く表題作ほか時代短編6編を収録。

井川香四郎
日照り草
〈梟《ふくろう》与力吟味帳〉
北町奉行吟味方与力が女公事師と全面対決！日照り草が見た殺しの真相？ 文庫書下ろし。

鴨志田穣
西原理恵子
カモちゃんの今日も煮え煮え
アジアを旅して、酔眼でとらえた人々と風景。カモちゃんらしさが一杯つまったエッセイ集。

角田光代
あしたはアルプスを歩こう
いつもの旅のつもりで雪山に挑んでしまった作家が見たものは？ 感動のトレッキング紀行。

草野たき
猫の名前
「復讐したい」突然の言葉に、中学3年の佳苗《かなえ》は戸惑うばかりで……。切ない友情の物語。

笠井潔
雷鳴のヴァンパイヤー
〈九鬼鴻三郎の冒険3〉
組織を離れ本能のままに闘いの新次元へ突入した九鬼。『ヴァンパイヤー戦争《ウオーズ》』外伝完結！

笹生陽子
バラ色の怪物
目立たずに生活していた遠藤が関わるミチルと三上。中学2年――世界はすぐに変わる。

宮本輝
新装版 **避暑地の猫**
軽井沢のその別荘には、秘密の地下室があった――。人間の「悪」に迫る傑作長編小説。

講談社文庫 最新刊

重松清 渡辺考
最後の言葉〈戦場に遺された二十四万字の届かなかった手紙〉
妻に子どもに恋人に――激戦地に遺された日本軍将兵の言葉が六十年の時を越えて蘇る。

帚木蓬生
アフリカの瞳
南アフリカでエイズと戦う、日本人医師作田《さくだ》信の苦闘と希望。名作『アフリカの蹄』続編。

瀬戸内寂聴・訳
源氏物語 巻《まき》七《しち》
最愛の紫の上の死に、源氏はついに出家を決意。薫と匂宮をめぐる新しい物語が始まる。

はやみねかおる
消える総生島〈名探偵夢水清志郎事件ノート〉
人も山も館も島までもが消えた！ ミステリ映画のロケ地で起きた事件を清志郎が解く。

瀬木慎一
名画はなぜ心を打つか
見方が変わると見えなかった「もの」が見える。プロが自分の鑑賞ポイントをそっと伝授する！

たつみや章
水の伝説
川で不思議な生き物を助けたことで、小学生の光太郎は、龍神伝説の世界へ誘いこまれる。

星野智幸
毒身
マンゴーが実る古いアパートを独身＝毒身たちの楽園に。新しい人間像を描いた小説集。

森博嗣
悠悠おもちゃライフ
飛行機模型に庭園鉄道……。趣味の世界は深く広く楽しい。単行本未収録分も含む完全版。

のり・たまみ
2階でブタは飼うな！〈日本と世界のおかしな法律〉
世界各国のおかしな法律や条例につっこみを入れる、大爆笑エッセイ！ 文庫書下ろし。

三浦明博
死《し》水《すい》
リバー・キーパー早瀬が管理する川と森で、放火殺人が発生⁉ アウトドア・サスペンス。

阿部陽一／藤原伊織／渡辺容子／池井戸潤／不知火京介
乱歩賞作家 青の謎
大好評！ 中編ミステリーの傑作を集めた豪華アンソロジー、シリーズ第4弾。ついに完結。

和久峻三
Zの悲劇〈告発弁護士・猪狩文助〉
「冤罪は許さん」。殺人容疑者にされた依頼人を救うため、老練の弁護術を駆使する猪狩だが。

デボラ・クロンビー 西田佳子 訳
警視の週末
キンケイド警視のパートナー、ジェマが不倫旅行？ 大人気シリーズ注目の最新訳登場！

講談社文芸文庫

庄野潤三
愛撫・静物
庄野潤三初期作品集

若い夫婦の心理の翳りを瑞々しく描く「愛撫」から、家庭生活の細部を描き人生の光陰を一幅の絵に定着させる「静物」まで、庄野文学の静かなる成熟を示す七篇。

解説＝高橋英夫　年譜＝助川徳是

しA7 198483-7

伊井直行
濁った激流にかかる橋

激流によって分断された町の右岸と左岸、それをつなぐ唯一の異形の橋。この寓話的世界の不思議な住民たちの語る九つの物語。現代の増殖する都市の構造を鋭く剔抉。

解説＝笙野頼子　年譜＝著者

い T1 198482-0

吉田健一
ロンドンの味
吉田健一未収録エッセイ　島内裕子編

独自の豊かで優雅な文学世界を構築した天性の文人・吉田健一の単行本未収録のエッセイ集。旅と味、外国文学、日本文学の評論、翻訳書の解説など、遺珠六十八篇。

解説＝島内裕子　年譜＝藤本寿彦

よD14 198484-4

講談社文庫　目録

2007年6月15日現在